La Biblioteca Ideale Tascabile
Collana diretta da Angela Campana

59.
Classici junior

In copertina:
Illustrazione di Umberto Brunelleschi

Progetto grafico:
Antonio Bonavia Associati

Prima edizione
La Biblioteca Ideale Tascabile dicembre 1995

ISBN 88-8111-129-2

La Biblioteca Ideale Tascabile
Periodico settimanale, 15 dicembre 1995
Direttore responsabile: Bruno Maccaferri
Registrazione del Tribunale di Milano n. 684
del 23 dicembre 1994

Distribuzione esclusiva in edicola:
A. & G. MARCO S.p.A., Via Fortezza 27, 20126 Milano

Fotocomposizione:
OLDONI s.n.c., Via Sant'Ampellio 12, 20141 Milano

Stampatore: Legatoria del Sud s.r.l.,
Via Cancelliera 40, 00040 Ariccia (RM)

Come contributo alla difesa dell'ambiente,
i libri di questa collana sono stampati
su carta marcata con
«Etichetta ecologica nordica»

Guido Gozzano

La danza degli gnomi

e altre fiabe

Illustrazioni di Umberto Brunelleschi,
Gustavino, Guido Moroni Celsi e Attilio Mussino
dalle prime edizioni delle fiabe

INTRODUZIONE

Quando comincia una fiaba, comincia un'avventura. Dal sicuro della casa dei genitori, dove hanno vissuto sfamati e protetti, il protagonista o la protagonista decidono di «mettersi per il mondo» e iniziare la loro esperienza personale. È una necessità: il mondo è sconosciuto e si ha un desiderio naturale di conoscerlo, farne la scoperta; è anche pieno di promesse, cose buone e belle che aspettano d'essere conquistate; e se nasconde insidie e pericoli, l'eroe sente che li affronterà. L'importante è uscire di tutela e mettersi per strada, da soli; poi si vedrà. Di norma, l'eroe parte avendo poco o niente (se no che avventura sarebbe?) ma riceve in dono qualcosa che – se saprà farne un uso corretto – l'aiuterà. Possono essere consigli, saggi avvertimenti, o oggetti magici, di solito cose all'apparenza povere e comuni – una borsa logora, una tovaglia sgualcita, un vecchio bastone, un mantello qualunque – che hanno però un potere segreto e straordinario. Meravi-

METTERSI PER IL MONDO ALLA VENTURA

gliosa magia! Al comando del padrone, la tovaglia si copre di cibi e vini prelibati, la borsa s'inzeppa di monete d'oro, il bastone sprigiona un esercito di cavalieri armati, il mantello dona l'invisibilità e trasporta in terre lontanissime all'istante. Sembra che ogni desiderio possa avverarsi, senza limiti, ogni problema risolversi: niente più fame e povertà, né solitudine e malinconia, né prepotenze e scherno degli altri. Ma non è così, avere la magia non basta; anzi. L'eroe ingenuo perde il suo talismano, se lo fa portar via; l'avido, lo sciocco e il maligno ne fanno un uso sbagliato e lo rivoltano contro se stessi. E allora, più della magia, quel che conta nel cammino dell'eroe delle fiabe è la sua virtù, e anche la fortuna di trovare degli aiutanti. La virtù nelle fiabe non è necessariamente essere buoni, anzi è sicuramente non esserlo troppo: è accortezza e furbizia, non farsi imbrogliare (se no la partita è persa e si torna subito a casa, a mani vuote) e quando capita invece saper trarre vantaggio dall'ingenuità e stupidità altrui; è audacia e immaginazione nel superaregli ostacoli; e spietatezza nell'eliminare i nemici. Ma più di tutto la virtù che rende vincenti nelle fiabe è l'essere in armonia con la natura.

CON LA MAGIA E LA VIRTÙ

L'eroe o l'eroina che sono gentili con gli animali, le piante, gli gnomi che incontrano sul loro cammino progrediscono nella conquista del premio finale, creandosi anche degli alleati che, al momento del bisogno, daranno un aiuto miracoloso e risolutivo. Quelli che, ignoranti della potenza segreta e magica della natura, ottusamente maltrattano un uccello o un albero, si votano immediatamente alla sconfitta e devono tornare a casa. L'eroe della fiaba non vince mai da solo. Nel suo cammino fa incontri, che possono essere buoni o cattivi. Sarà sua bravura distinguere gli uni dagli altri, al di là delle apparenze spesso ingannevoli, e poi beneficiare i potenziali aiutanti in modo da legarli a sé. Nella *Leggenda dei sei compagni*, Gentile, il protagonista; sa procurarsi ben sei aiutanti, ciascuno con un'abilità particolare e prodigiosa. E così supera tutte le prove e finisce a «nozze splendide» con la principessa. (Poi, generoso ma anche previdente, nomina tutti i suoi aiutanti ministri.)

E VIVERE BEATI E CONTENTI

Dopo tante peripezie, le fiabe si concludono tutte felicemente così, con un bel matrimonio e l'anima in pace.
E anche noi lettori, che non c'entriamo niente, siamo beati e contenti.

A.C.

La danza degli gnomi
e altre fiabe

PIUMADORO E PIOMBOFINO

I

Piumadoro era orfana e viveva col nonno nella capanna del bosco. Il nonno era carbonaio ed essa lo aiutava nel raccattar fascine e nel far carbone. La bimba cresceva buona, amata dalle amiche e dalle vecchiette degli altri casolari, e bella, bella come una regina.

Un giorno di primavera vide sui garofani della sua finestra una farfalla candida e la chiuse tra le dita.

– Lasciami andare, per pietà!...

Piumadoro la lasciò andare.

– Grazie, bella bambina; come ti chiami?

– Piumadoro.

– Io mi chiamo Pieride del Biancospino. Vado a disporre i miei bruchi in terra lontana. Un giorno forse ti ricompenserò.

E la farfalla volò via.

Un altro giorno Piumadoro ghermì, a mezzo il sentiero, un bel soffione niveo trasportato dal vento, e già stava lacerandone la seta leggera.

– Lasciami andare, per pietà!...

Piumadoro lo lasciò andare.

– Grazie, bella bambina. Come ti chiami?

– Piumadoro.

– Grazie, Piumadoro. Io mi chiamo Achenio del Cardo. Vado a deporre i miei semi in terra lontana. Un giorno forse ti ricompenserò.

E il soffione volò via.

Un altro giorno Piumadoro ghermì nel cuore d'una rosa uno scarabeo di smeraldo.

– Lasciami andare, per pietà!

Piumadoro lo lasciò andare.

– Grazie, bella bambina. Come ti chiami?

– Piumadoro.

– Grazie, Piumadoro. Io mi chiamo Cetonia Dorata. Cerco le rose di terra lontana. Un giorno forse ti ricompenserò.

E la cetonia volò via.

II

Sui quattordici anni avvenne a Piumadoro una cosa strana. Perdeva di peso.

Restava pur sempre la bella bimba bionda e fiorente, ma s'alleggeriva ogni giorno di più.

Sulle prime non se ne dette pensiero. La divertiva, anzi, l'abbandonarsi dai rami degli alberi altissimi e scendere giù, lenta, lenta, lenta, come un foglio di carta. E cantava:

Non altre adoro – che Piumadoro...
Oh! Piumadoro,
bella bambina – sarai Regina.

Ma col tempo divenne così leggera che il nonno dovette appenderle alla gonna quattro grosse pietre perché il vento non se la portasse via. Poi nemmeno le pietre bastarono più e il nonno dovette rinchiuderla in casa.

– Piumadoro, povera bimba mia, qui si tratta di un malefizio!

E il vecchio sospirava. E Piumadoro s'annoiava, così rinchiusa.

– Soffiami, nonno!

E il vecchio, per divertirla, la soffiava in alto per la stanza. Piumadoro saliva e scendeva, lenta come una piuma.

Non altre adoro – che Piumadoro...
Oh! Piumadoro,
bella bambina – sarai Regina.

– Soffiami, nonno!

E il vecchio soffiava forte e Piumadoro saliva leggera fino alle travi del soffitto.

Oh! Piumadoro,
bella bambina – sarai Regina.

– Piumadoro, che cosa canti?

– Non son io. È una voce che canta in me.

Piumadoro sentiva, infatti, ripetere le parole da una voce dolce e lontanissima.

E il vecchio soffiava e sospirava:

– Piumadoro, povera bimba mia, qui si tratta di un malefizio!...

III

Un mattino Piumadoro si svegliò più leggera e più annoiata del consueto.

– Soffiami, nonno!

Ma il vecchietto non rispondeva.

– Soffiami, nonno!

Piumadoro s'avvicinò al letto del nonno. Il nonno era morto.

Piumadoro pianse.

Pianse tre giorni e tre notti. All'alba del quarto giorno volle chiamar gente. Ma socchiuse appena l'uscio di casa che il vento se la ghermì, se la portò in alto, in alto, in alto, come una bolla di sapone...

Piumadoro gettò un grido e chiuse gli occhi.

Osò riaprirli a poco a poco, e guardare in giù, attraverso la sua gran capigliatura disciolta. Volava ad un'altezza vertiginosa.

Sotto di lei passavano le campagne verdi, i fiumi d'argento, le foreste cupe, le città, le torri, le abazie minuscole come giocattoli...

Piumadoro richiuse gli occhi per lo spavento, si avvolse, si adagiò nei suoi capelli immensi come nella coltre del suo letto e si lasciò trasportare.

– Piumadoro, coraggio!

Aprì gli occhi. Erano la farfalla, la cetonia ed il soffione.

– Il vento ci porta con te, Piumadoro. Ti seguiremo e ti aiuteremo nel tuo destino.

Piumadoro si sentì rinascere.

– Grazie, amici miei.

Non altre adoro – che Piumadoro...
Oh! Piumadoro,
bella bambina – sarai Regina.

– Chi è che mi canta all'orecchio, da tanto tempo?

– Lo saprai verso sera, Piumadoro, quando giungeremo dalla Fata dell'Adolescenza.

Piumadoro, la farfalla, la cetonia ed il soffione proseguirono il viaggio, trasportati dal vento.

IV

Verso sera giunsero dalla Fata dell'Adolescenza. Entrarono per la finestra aperta.

La buona Fata li accolse benevolmente. Prese Piumadoro per mano, attraversarono stanze immense e corridoi senza fine, poi la Fata tolse da un cofano d'oro uno specchio rotondo.

– Guarda qui dentro.

Piumadoro guardò. Vide un giardino meraviglioso, palmizi e alberi tropicali e fiori mai più visti.

E nel giardino un giovinetto vestito come un re e bello come un sole. E quel giovinetto stava su di un carro d'oro che cinquecento coppie di buoi trascinavano a fatica. E cantava:

Oh! Piumadoro,
bella bambina – sarai Regina.

– Quegli che vedi è Piombofino, il Reuccio delle Isole Fortunate, ed è quegli che ti chiama da tanto tempo con la sua canzone. È vittima d'una malìa opposta alla tua. Cinquecento coppie di buoi lo trascinano a stento. Diventa sempre più pesante. Il malefizio sarà rotto nell'istante che vi darete il primo bacio.

La visione disparve e la buona Fata diede a Piumadoro tre chicchi di grano.

– Prima di giungere alle Isole Fortunate il vento ti farà passare sopra tre castelli. In ogni castello ti apparirà una fata maligna che cercherà di attirarti con la minaccia o con la lusinga. Tu lascerai cadere ogni volta uno di questi chicchi.

Piumadoro ringraziò la Fata, uscì dalla finestra coi suoi compagni e riprese il viaggio, trasportata dal vento.

V

Giunsero verso sera in vista del primo castello. Sulle torri apparve la Fata Variopinta e fece un cenno con le mani. Piumadoro si sentì attrarre da una forza misteriosa e cominciò a discendere lentamente. Le parve distinguere nei giardini volti di persone conosciute e sorridenti: le compagne e le vecchiette del bosco natìo, il nonno che la salutava.

Ma la cetonia le ricordò l'avvertimento della Fata dell'Adolescenza e Piumadoro lasciò cadere un chicco di grano. Le persone sorridenti si cangiarono subitamente in demoni e in fattucchiere coronate di serpi sibilanti.

Piumadoro si risollevò in alto con i suoi compagni, e capì che quello era il Castello della Menzogna e che il chicco gettato era il grano della Prudenza.

Viaggiarono due altri giorni. Giunsero verso sera in vista del secondo castello.

Era un castello color di fiele, striato di sanguigno. Sulle torri la Fata Verde si agitava furibonda. Una turba di persone livide accennava tra i merli e dai cortili, minacciosamente.

Piumadoro cominciò a discendere, attratta dalla forza misteriosa. Terrorizzata lasciò cadere il secondo chicco. Appena il grano toccò terra il castello si fece d'oro, la Fata e gli ospiti apparvero benigni e sorridenti, salutando Piumadoro con le mani protese. Questa si risollevò e riprese il cammino trasportata dal vento; e capì che quello era il grano della Bontà.

Viaggia, viaggia, giunsero due giorni dopo al terzo castello. Era un castello meraviglioso, fatto d'oro e di pietre preziose.

La Fata Azzurra apparve sulle torri, accennando benevolmente verso Piumadoro.

Piumadoro si sentì attrarre dalla forza invisibile. Avvicinandosi a terra udiva un confuso clamore di risa, di canti, di musiche; distingueva nei giardini immensi gruppi di dame e di cavalieri scintillanti, intesi a banchetti, a balli, a giostre, a teatri.

Piumadoro, abbagliata, già stava per scendere, ma la cetonia le ricordò l'ammonimento della Fata dell'Adolescenza, ed ella lasciò cadere, a malincuore, il terzo chicco di grano. Appena questo toccò terra, il castello si cangiò in una spelonca, la Fata Azzurra in una megera spaventosa e le dame e i cavalieri in poveri cenciosi e disperati che correvano piangendo tra sassi e roveti. Piumadoro, sollevandosi d'un balzo nell'aria, capì che quello era il Castello dei Desideri e che il chicco gettato era il grano della Saggezza.

Proseguì la via, trasportata dal vento.

La pieride, la cetonia ed il soffione la seguivano fedeli, chiamando a raccolta tutti i compagni che incontravano per via. Così che Piumadoro ebbe ben presto un corteo di farfalle variopinte, una nube di soffioni candidi e una falange abbagliante di cetonie smeraldine.

Viaggia, viaggia, viaggia, la terra finì, e Piumadoro, guardando giù, vide una distesa azzurra ed infinita. Era il mare.

Il vento si calmava e Piumadoro scendeva talvolta fino a sfiorare con la chioma le spume candide. E gettava un grido. Ma le diecimila farfalle e le diecimila cetonie la risollevavano in alto, col fremito delle loro piccole ali.

Viaggiarono così sette giorni.

All'alba dell'ottavo giorno apparvero sull'orizzonte i minareti d'oro e gli alti palmizi delle Isole Fortunate.

VI

Nella Reggia si era disperati.

Il Reuccio Piombofino aveva sfondato col suo peso la sala del Gran Consiglio e stava immerso fino alla cintola nel pavimento a mosaico. Biondo, con gli occhi azzurri, tutto vestito di velluto rosso, Piombofino era bello come un dio, ma la malìa si faceva ogni giorno più perversa.

Ormai il peso del giovinetto era tale che tutti i buoi del Regno non bastavano a smuoverlo d'un dito.

Medici, sortiere, chiromanti, negromanti, alchimisti erano stati chiamati inutilmente intorno all'erede incantato.

Non altre adoro – che Piumadoro...
Oh! Piumadoro,
bella bambina – sarai Regina.

E Piombofino affondava sempre più, come un mortaio di bronzo nella sabbia del mare.

Un mago aveva predetto che tutto era inutile, se l'aiuto non veniva dall'incrociarsi di certe stelle benigne.

La Regina correva ogni momento alla finestra e consultava a voce alta gli astrologhi delle torri.

– Mastro Simone! Che vedi, che vedi all'orizzonte?

– Nulla, Maestà... La Flotta Cristianissima che torna di Terra Santa.

E Piombofino affondava sempre.

– Mastro Simone, che vedi?...

– Nulla, Maestà... Uno stormo d'aironi migratori...

E Piombofino affondava sempre più.

– Mastro Simone, che vedi?...

– Nulla, Maestà... Una galea veneziana carica d'avorio.

Il Re, la Regina, i ministri, le dame erano disperati.

Piombofino emergeva ormai con la testa soltanto; e affondava cantando:

Oh! Piumadoro,
bella bambina – sarai Regina.

S'udì, a un tratto, la voce di mastro Simone:

– Maestà!... Una stella cometa all'orizzonte! Una stella che splende in pieno meriggio!

Tutti accorsero alla finestra, ma prima ancora la gran vetrata di fondo s'aprì per incanto e Piumadoro apparve col suo seguito alla Corte sbigottita.

I soffioni le avevano tessuta una veste di velo, le farfalle l'avevano colorata di gemme. Le diecimila cetonie, cambiate in diecimila paggetti vestiti di smeraldo, fecero ala alla giovinetta che entrò sorridendo, bella e maestosa come una dea.

Piombofino, ricevuto il primo bacio di lei, si riebbe come da un sogno, e balzò in piedi libero e sfatato, tra le grida di gioia della Corte esultante.

Furono imbandite feste mai più viste. E otto giorni dopo Piumadoro la carbonaia sposava il Reuccio delle Isole Fortunate.

IL RE PORCARO

I

Un Re aveva tre figliuole belle come il sole e ch'egli amava più degli occhi suoi.

Avvenne che il Re, rimasto vedovo, riprese moglie e cominciò per le tre fanciulle una ben triste esistenza. La matrigna era gelosa dell'affetto immenso che il Re portava alle figlie e le odiava in segreto. Con mille arti aveva cercato di farle cadere in disgrazia del padre, ma visto che le calunnie non servivano che a farle amare di più, deliberò di consigliarsi con una fattucchiera.

– Si può farle morire – rispose costei.

– Impossibile: il Re ammazzerebbe anche me.

– Si può deturparle per sempre.

– Impossibile: il Re m'ammazzerebbe.

– Si può affatturarle in qualche modo...

– Vorrei una fatatura che le facesse odiare dal padre, per sempre.

La strega meditò a lungo, poi disse:

– L'avrete. Ma mi occorre che mi portiate un capello di ciascuna strappato con le vostre mani e tre setole porcine, strappate con le vostre mani...

La matrigna ritornò a palazzo e la mattina seguente entrò sorridendo nelle stanze delle tre principesse, mentre le cameriste ne pettinavano le chiome fluenti.

– Figliuole mie – disse con voce affettuosa – voglio insegnarvi un'acconciatura di mia invenzione...

E preso il pettine dalle mani delle donne, pettinò Doralice.

– Ah! mamma, che mi strappate i capelli!...

Pettinò Lionella.

– Ah! mamma, che mi strappate i capelli!...

Pettinò Chiaretta.

– Ah! mamma, che mi strappate i capelli!...

Salutò le figliastre e uscì con i tre capelli attorti nel dito indice... Attraversò i giardini, i cortili, giunse alle fattorie, entrò nel porcile e con le sue dita inanellate strappò tre setole da tre scrofe grufolanti.

Poi ritornò dalla strega.

La strega pose in un lambicco i tre capelli dorati e le tre setole nere, vi unì il succo di certe erbe misteriose e ne distillò poche gocce verdastre che raccolse in una boccetta.

– Eccovi, Maestà. Le verserete nel bicchiere del Re, all'ora del pranzo. È la fatatura dello scambio; l'effetto sarà immediato.

La Regina si tolse dalla corona la pietra più bella, la regalò alla strega e se ne andò.

II

Alla mensa regale sedevano il Re, la Regina, le tre principesse, cinquecento dame e cinquecento cavalieri.

La Regina versò furtivamente nel calice del Re il filtro fatato e attese, ansiosa di vederne l'effetto. Aveva appena bevuto che il Re stralunò gli occhi, come preso da sdegno e da meraviglia, e si alzò accennando verso le figlie:

– Che beffa è questa? Chi ha messo tre scrofe al posto delle mie figliuole? Che beffa è questa? Via di qui! Via le bestie immonde!

E alzatosi furibondo cominciò a malmenare, a percuotere le figlie, a spingerle, ad inseguirle attraverso le sale, i giardini, i cortili, fino al porcile dove le rinchiuse.

Dal porcile trasse, invece, le tre scrofe corpulente e prese ad abbracciarle, chiamandole coi nomi delle figlie; poi le condusse a palazzo, le fece salire a mensa, sui seggi delle tre principesse:

– Chiaretta, Doralice, Lionella, povere figlie mie, chi vi fece l'onta di chiudervi là dentro?

E le baciava amorosamente.

Tutta la Corte, seduta a mensa, rideva.

Il Re aggrottò le ciglia.

– Perché si ride?

Allora un cavaliere si alzò:

– Maestà, perdonate, ma quelle sono tre scrofe!

Il Re, furibondo, lo fece immediatamente tradurre in prigione, nei sotterranei delle torri.

E riprese a baciare le tre bestie che grugnivano.

La Corte rideva.

– Perché si ride?

Un secondo cavaliere si alzò:

– Maestà, perdonate; ma, in nome di Dio, quelle non sono le tre reginette, sono tre scrofe.

Il Re lo fece decapitare all'istante, per lesa maestà. E la Corte non rise più.

Le tre bestie furono vestite con abiti regali, adorne di gioielli, servite da cento cameriste. Il Re le voleva vicine sempre, le accompagnava a passeggio, a mensa, a Corte, alle danze, ai ricevimenti. E ovunque le tre scrofe passavano, dame e cavalieri facevano ala, piegandosi fin in terra, inchinandole e ossequiandole come principesse del sangue.

Ma tutti soffocavano le risa, mormorando:

– Passa il Re ammattito, passa il Re Porcaro!...

III

Chiaretta, Lionella, Doralice passavano i loro giorni nel porcile, piangendo e invocando pietà. Il Re, che amava occuparsi in persona delle sue fattorie, passava talvolta con la Regina accanto al porcile; e le sue figlie si protendevano piangendo verso il padre che non le riconosceva.

– Padre! Padre caro, non ci ravvisate? siamo le vostre figliuole! Che colpa è la nostra? Che vendetta è la vostra? Liberateci, per pietà!...

Il Re le guardava distratto attraverso le sbarre del porcile e diceva alla Regina:

– È strano come queste tre bestie grugniscono pietosamente e protendono le zampe verso di me...

La Regina, inquieta, voleva liberarsi delle figliastre definitivamente.

– Osservate, Maestà, come son fresche e rosee: io consiglierei il gastaldo di farne salame...

– Dite bene – rispose il Re – oggi stesso darò ordine di farle sgozzare...

Le tre reginette caddero prive di sensi.

IV

Rinvennero al luccichìo di coltellacci enormi. Furono legate mani e piedi ad un bastone; ogni bastone, sorretto ai capi da due bifolchi, prese la via del macello.

Cammin facendo le tre sorelle supplicavano i loro aguzzini.

– Comando del Re!

Esse piangevano, disperate.

– Comando del Re! Se il Re si sapesse disobbedito farebbe sgozzare anche noi.

Ma quelle tanto piansero e supplicarono che i sei carnefici s'impietosirono.

– Bisogna promettere di non ritornare alla Reggia mai più.

Le tre sorelle promisero.

Allora i bifolchi le portarono fino ai confini del regno, le slegarono e le abbandonarono al loro destino.

V

Rimaste sole e povere, in paese straniero, le tre principesse dovettero lavorare per campare la vita. Per loro fortuna avevano imparato fin da bimbe ogni lavoro donnesco; e sapevano cucire e ricamare a perfezione.

La bellezza misteriosa delle tre ricamatrici faceva correre strane voci nella città, ma esse vivevano quiete e laboriose nella piccola casa modesta. Rimpiangevano talvolta l'affetto del padre e il regno perduto.

Lionella sparecchiava la mensa e diceva:

– A quest'ora ci si abbigliava per il ballo...

Doralice rigovernava i piatti e diceva:

– A quest'ora le nostre donne ci davano il bagno nell'acqua di rose...

Chiaretta scopava e diceva:

– A quest'ora si andava a caccia dell'airone col girifalco...

E sospiravano.

Picchiava sovente alla porta un vecchio mendicante dalla barba bianca; e sempre le sorelle gli donavano una scodella di minestra.

– Grazie, figliuole! Che mani da principesse!...

– Siamo principesse.

E una sera si sedettero col vecchio sulla panca della

strada e gli confidarono la loro storia. Il vecchio le ascoltava lisciandosi la barba.

– Povere figliuole! Non m'è nuovo questo incantesimo... Il Re, vostro padre, ha bevuto la fatatura dello scambio...

E trasse fuori dalla bisaccia un libercolo di pergamena sgualcito e cominciò a sfogliarlo attentamente. L'aveva trovato anni addietro, nella caverna d'un monte, presso lo scheletro d'un eremita.

– Contro la fatatura dello scambio c'è un'acqua infallibile: l'acqua che balla, che suona, che canta; ma non si sa dove sia...

Per molti giorni le sorelle meditarono le parole del vecchio. E una sera Lionella disse:

– Sorelle mie, io sono la primogenita. Ho deciso di tentar la sorte per tutte. Partirò alla ricerca dell'acqua miracolosa.

Abbracciò le sorelle piangenti e sul fare dell'alba se ne partì.

Passarono i giorni, le settimane, i mesi; e Lionella non ritornava.

Compiva l'anno, il mese, il giorno quando Doralice disse a Chiaretta:

– Sorella mia, sono la secondogenita. È giusto ch'io mi metta alla ventura. Partirò domani.

All'alba abbracciò la sorella e se ne partì.

Chiaretta restò sola nella piccola casa deserta. Passò il tempo.

Compiva l'anno, il mese, il giorno e Chiaretta decise di porsi alla ventura.

Cammina, cammina, cammina...

Attraversò fiumi e boschi, monti e pianure, mendicando un tozzo di pane ai casolari. Le massaie, sulla soglia, guardavano stupite quella bella mendica giovinetta.

– Buone donne, sapreste darmi notizia dell'acqua che balla, che suona, che canta?

Ma quelle si stringevano nelle spalle. Nessuna sapeva.

E Chiaretta riprendeva sconfortata il cammino. Una sera si addormentò tra le foglie secche, sotto un castagno. All'alba si sentì tirare una ciocca, sulla tempia: si volse e vide una lucertola con due code impigliata nei suoi capelli d'oro.

– Ho passata la notte nei tuoi capelli ed ora son prigioniera... Liberami e ti compenserò!

Chiaretta liberò le zampine dall'intrico dei legami sottili.

La lucertola le diede una delle sue due code.

– Tienla preziosa. Ad ogni domanda ti risponderà.

Chiaretta contemplò a lungo il moncherino che s'agitava nella sua palma distesa.

– Coda, codina, sai dirmi dov'è l'acqua che suona, che balla, che canta?

E la coda girò nella palma della mano, si tese verso un punto dell'orizzonte come l'ago d'una bussola.

Chiaretta prese quella direzione.

Cammina, cammina, cammina, giunse in un paese lontano, fra dirupi spaventosi; e sentì la codina agitarsi nella sua tasca, quasi ad avvisarla. Domandò ad una vecchietta notizie dell'acqua portentosa.

– Sì, la fonte è qui! Ma è in custodia di un negromante che abita lassù, in quel castello che vedete. Arrivano sovente dame e cavalieri, entrano nel giardino delle sette porte, ma nessuno ne esce più...

Chiaretta entrò coraggiosa nel giardino fatato, stringendo in una mano l'ampolla vuota, nell'altra la codina miracolosa. Il giardino era un laberinto dalle mille strade tortuose dove fatto il primo passo si restava smarriti.

Ma Chiaretta seguiva ogni movimento della codina oscillante nella palma della sua mano. E gira e rigira, sul tramonto riuscì in una pianura dove in una conca immensa si raccoglieva l'acqua meravigliosa.

Attorno alla fontana si vedevano, a perdita d'occhio, statue di marmo candidissimo.

Chiaretta fece per riempire l'ampolla, ma sentì la codina agitarsi disperata nell'altra mano, e l'osservò. Il moncherino cominciò a piegarsi a N, poi ad O, poi ancora a N, poi prese a parlare con lettere viventi:

– Non toccare l'acqua fatata! Chi la tocca resta di marmo.

Allora Chiaretta appese l'ampolla ad un filo, la calò e l'estrasse ricolma; poi la turò e la pose in tasca. Pensava al ritorno quando riconobbe in una statua la sorella Doralice; guardò quella dopo: era Lionella. Prese ad abbracciare il freddo marmo, piangendo.

– Coda, codina, risuscita le mie sorelle!

Accostò il moncherino alle statue e quelle rivissero all'istante.

Le tre principesse ripresero la via della patria.

VI

Giunte al regno del padre, le sorelle si travestirono da pellegrine, per non essere riconosciute dalla matrigna che le credeva morte; e col volto coperto d'un velo fitto e il petto adorno di conchiglie e d'amuleti si presentarono a palazzo.

Il Re le ricevette nella sala del trono. Accanto a lui sedevano la matrigna e le tre scrofe usurpatrici, vestite di stoffe preziose, adorne d'oro e di gemme.

– Sire! Siamo pellegrine reduci di Terra Santa. Abbiamo portato dai paesi del Gran Turco un'acqua dilettosa che vogliamo offrire alla Maestà Vostra.

E Chiaretta trasse fuori l'ampolla, la sturò, la depose ai piedi del trono.

Subito ne balzò fuori l'acqua fatata, fece un inchino e cominciò a salire i gradini del trono danzando e cantando al suono di una musica lontana. La sua canzone narrava di tre principesse perseguitate dalla matrigna e d'un Re insanito per un filtro malvagio, narrava tutta l'istoria pietosa delle tre giovinette.

La matrigna fece per ghermire e disperdere l'acqua delatrice ma la toccò appena che restò di marmo.

Al Re fu come cadesse dagli occhi una benda; vide le tre bestie immonde sedute sui seggi delle figlie rinnegate, capì, e scese a braccia aperte stringendo le tre pellegrine che si erano scoperte il viso.

La Corte acclamava il Re rinsavito e le principesse redivive.

Queste, pietose, vollero ritornare in vita la Regina pietrificata, e cercarono la coda di lucertola, ma la coda non c'era più.

E la matrigna di marmo, col volto furente e le mani protese, fu collocata su un piedistallo, nell'atrio del palazzo, e vi restò nei secoli come statua della malvagità.

IL REUCCIO GAMBERINO

I

Tre giorni ancora e il Reuccio Sansonetto compiva diciott'anni, età che, secondo le leggi del regno, gli permetteva di togliere moglie. Egli stava ad una loggia del palazzo reale, raggiante ed impaziente di sposare Biancabella reginetta di Pameria, con la quale era fidanzato fin dall'infanzia. Ingannava il tempo mangiando ciliege e scagliando i noccioli sui passanti, con una piccola fionda. I beffati alzavano il volto incollerito, ma l'inchinavano tosto, ossequiosi, appena riconosciuto il reale schernitore.

E il Reuccio rideva e i cortigiani ridevano con lui. Passò una vecchina dai capelli candidi, dal naso enorme e paonazzo e il Reuccio cominciò a berteggiarla:

– Oh, comare Peperona! oh, comare Peperona!...

E come l'ebbe a tiro la colpì con un nocciolo sul naso. La vecchietta si grattò il naso dolente, si chinò tremante, raccolse, strinse il nocciolo tra il pollice e l'indice e lo rinviò all'erede del trono. Le grida sdegnate della Corte scagliarono cento guardie sulle tracce della strega Nasuta, ma quella aveva svoltato l'angolo della via, ed era scomparsa. Al tocco aspro del nocciolo il Reuccio Sansonetto vacillò, come preso da vertigini; poi cominciò a ridere, premendosi gli orecchi con le mani.

I cortigiani lo guardavano sbigottiti ed inquieti:

– Che cosa vi sentite?

– Sento... sento...

E il Reuccio rideva, rideva senza poter rispondere.

– Che cosa vi sentite?

– Sento... sento il tempo che va indietro! Il tempo che va indietro! Che cosa buffa! Ah, se provaste! Che cosa buffa!...

La Corte lo credeva ammattito. Quando poi fece per muoversi e lo videro camminare a ritroso, tutti scoppiarono dalle risa.

– Reuccio, che cosa è questo?

– È... è che non posso più andare avanti!...

E rideva, e per quanto tentasse di avanzare il piede non gli riusciva di fare un passo innanzi, ed era costretto a retrocedere, come un gambero. Poi riprendeva a premersi gli orecchi, a chiudere gli occhi, come preso da vertigini.

– Il tempo che va indietro! che strano effetto, che cosa buffa, amici miei!...

E i cortigiani ridevano ed egli rideva con loro...

E tutti lo credevano ammattito.

II

Ma non era ammattito. I più famosi medici del regno constatarono veramente che il Reuccio Sansonetto ringiovaniva. Era una malattia nuova e inesplicabile, contro la quale la scienza non aveva rimedio. Il Reuccio ringiovaniva. Compì i diciassette, poi i sedici, poi i quindici anni. Prese a decrescere di giorno in giorno, scomparvero i piccoli nascenti baffetti biondi. Il suo volto riacquistava un aspetto sempre più fanciullesco. Sansonetto era disperato.

Le nozze di Biancabella di Pameria erano state contramandate, poi rotte del tutto. Il Re di Pameria aveva ritirato la mano della figlia.

– Ragazzo mio, come volete ch'io vi conceda Biancabella? Fra qualche anno sarete un marito bambino, poi un marito lattante, poi nascerete; cioè morirete... scomparirete nel nulla...

Biancabella fu costretta dal padre a rendere il suo anello di nozze; ma congedandosi piangeva, e promise a Sansonetto eterna fedeltà.

– Vi aspetterò finché sarete guarito di questa malattia. Tenete intanto l'anello e portatelo in dito; esso vi stringerà più forte, quando la mia fedeltà sarà in pericolo...

III

Sansonetto era disperato. Correva a ritroso per le stanze e pei giardini reali, piangendo, strappandosi le chiome bionde. Bisognava rintracciare la vecchietta beffata, supplicarla di ritornarlo a diciott'anni, di risanarlo da quella malìa. Il Re e la Regina avevano fatto un bando con mezzo il regno di premio per chi desse notizie della vecchietta che aveva incantato il figliuolo. Ma nessuno l'aveva più vista.

Sansonetto andava sovente a caccia, per distrarre la sua malinconia. Galoppava a ritroso, perché la malìa gamberina s'appiccicava pure alla sua cavalcatura.

I contadini che vedevano passare, scomparire all'orizzonte quel cavaliere piumato, sul cavallo che galoppava all'indietro, si facevano il segno della croce temendo un'apparizione diabolica.

Un giorno il Reuccio giunse in un bosco, e vide tra gli abeti centenari una casetta minuscola, con una sola porta e una sola finestra. E alla finestra riconobbe il volto della vecchietta che lo guardava sorridendo. Sansonetto s'inginocchiò sulla soglia.

– Ah! vecchina, vecchina! Restituitemi il giusto andazzo del tempo e del camminare!

– Bisogna riportarmi il nocciolo di quel giorno...

– Se non è che questo, l'avrete...

Sansonetto ritornò a palazzo. Ma come ritrovare proprio il nocciolo di quattr'anni prima?... Pensò di prenderne uno qualunque, lo portò nel bosco, lo fece vedere sulla palma della mano. La vecchietta l'osservò dalla finestra.

– Figliuolo mio, non è quello! quello porta incise intorno certe parole che so io...

Il Reuccio capì che non era caso d'inganni, ritornò a palazzo, prese commiato dal Re e dalla Regina e si pose in cammino, alla ricerca del nocciolo salvatore.

Si ricordava confusamente d'averlo visto rimbalzare nel rigagnolo della via.

Seguì il rigagnolo fin dove questo metteva foce nel torrente. Ma innanzi a quelle spume turbinose si sentì prendere dallo sconforto. Una libellula passò, librandosi su di lui con bagliori di smeraldo.

– Che c'è, bambino bello?

Lo chiamavano già bambino! Come ringiovaniva in fretta!... Sansonetto sospirò:

– C'è che divento sempre più giovane!

– Poco male, ragazzo mio!

– Molto male! Fra qualche anno sarò un bambino lattante, poi nascerò, scomparirò del tutto. Mi può salvare soltanto il nocciolo della Fata Nasuta. L'hai visto passare?

– Io no. Ma ne sentii parlare dai miei vecchi: un nocciolo strano, che portava scritte intorno certe parole cabalistiche... Ha preso la via del mare.

Sansonetto si pose in cammino, seguì il torrente fino al fiume, il fiume fino al mare. Dinanzi a quell'azzurro infinito la speranza gli cadde dal cuore e si abbandonò sulla spiaggia. Piangeva e guardava le onde accartocciarsi ribollendo; e le lacrime gli cadevano nell'acqua, ad una ad una.

– Che c'è, bambino bello?

Era un'asteria, una stella di mare che strisciava lentissima sulla sabbia d'oro.

– C'è che divento sempre più giovane.

– Poco male, figliuolo mio!

– Molto male. Nascerò, scomparirò del tutto se non trovo il nocciolo della Fata Nasuta.

– Un nocciolo strano, inciso di parole che non ri-

cordo... L'ho visto qualche anno fa. L'ha inghiottito un fenicottero mio amico. Se attendi, te lo mando qui...

Il Reuccio attese tre giorni. Apparve il fenicottero bianco e roseo, sulle due gambe lunghissime.

– Sì, ho inghiottito il nocciolo; ma poi emigrai nel mezzogiorno e lo rimisi nei giardini del gigante Marsilio, fra i monti della Soria... il gigante è feroce ed invincibile; lo potrà vincere soltanto chi gli strapperà un capello verde tra i folti capelli rossi.

Il Reuccio s'imbarcò su una galea di mercanti e giunse dopo sette settimane in Soria. Ma quando chiedeva del gigante Marsilio, la gente lo guardava stupita, e impallidiva.

– Il gigante non lascia passare nessuno nei suoi dominî. Ogni giorno fa strage di cavalieri temerari che vogliono affrontarlo.

– Lo affronterò anch'io e vincerò, se questa è la mia sorte.

E il Reuccio Sansonetto proseguiva la via. Giunse al regno del gigante Marsilio.

A picco nella valle dominava il Castello dalle Cento Torri; si stendevano sotto i giardini immensi circondati da alte mura, e attorno biancheggiavano le ossa dei temerari che avevano sfidato il mostro.

Sansonetto suonò il corno di sfida, invitando il gigante a battaglia.

Una delle porte immense si aprì e apparve il gigante seminudo e senz'arme.

Come vide il Reuccio sorrise di scherno.

Questi si scagliava a ritroso volteggiando la sua spada affilata; tagliava ora un braccio, ora una mano, ora il naso, ora il mento del gigante, ma il gigante si chinava tranquillo, raccattava il pezzo amputato rimettendolo a segno.

Sansonetto mirava alla testa, spiccando salti sul suo cavallo focoso. Già due volte glie l'aveva fatta cadere, ma il mostro si chinava, la raccoglieva, la riappiccicava all'istante sulle spallacce robuste. Una terza volta il Reuccio glie la troncò; e appena in terra fu pronto a spingerla con le due mani sull'orlo d'un declivio, rotolandola a valle. Poi si mise a cercare in fretta il capello verde nella folta chioma rossa. Sentiva alle spalle il mostro decapitato che correva, brancolando qua e là; lo sentiva avvicinarsi, e cercava e non trovava il capello micidiale. Allora trasse la spada, rasò in pochi colpi la testaccia dalla fronte alla nuca; e il capello verde fu reciso con tutta la chioma. La testa impallidì, gli occhi dettero un guizzo spaventoso e il gigante che brancolava all'intorno, cadde con tonfo sordo. Era morto.

IV

Il Reuccio Sansonetto ebbe libero il passo nel regno di Marsilio. Cercò nei giardini; trovò il luogo indicato dal fenicottero.

Ma in cinque anni il nocciolo era diventato un ciliegio altissimo, tutto carico di frutti rossi e lucenti come rubini.

Sansonetto ne mangiò uno, poi un altro, e un altro ancora; e osservò i noccioli, e ogni nocciolo portava inciso attorno: « grano dell'irriverenza »...

Ad un tratto il Reuccio ebbe come una specie di vertigine e socchiuse gli occhi.

Quando li riaprì si trovò dinanzi alla casetta della Fata Nasuta e la vecchietta gli sorrideva.

Si guardò, si palpò, era ritornato come alla vigilia delle nozze, con la sua alta statura diciottenne e i piccoli nascenti baffetti biondi. Provò a dare qualche passo: era risanato della buffa andatura gamberina.

– Il tuo errore è espiato – disse la vecchietta – conserva i noccioli del ciliegio salvatore, e seminali nei tuoi giardini.

– Grazie, vecchietta mia!

Il Reuccio baciò la buona fata, ma sentiva l'anello donatogli da Biancabella di Pameria stringergli il dito.

– Ah! fata mia, la fedeltà della mia sposa corre pericolo.

– Forse. Ma fa' cuore, mettiti in armi e corri alla Corte. Dal canto mio t'aiuterò.

Sansonetto s'armò di tutto punto e partì di gran galoppo.

Sentiva l'anello stringergli, stringergli il dito sempre più...

– Si sarà stancata di questa lunga attesa! Purché io arrivi in tempo ancora!

Giunse in Pameria e vide la capitale imbandierata e festante. Chiese perché.

– Da una settimana è aperto un torneo a Palazzo Reale. Il Re ha imposto alla figlia la scelta d'uno sposo. E cento cavalieri si contendono la mano di Biancabella. Ma v'è un cavaliere sconosciuto che li abbatte tutti; e si prevede che pel tramonto di quest'oggi avrà sbaragliato i rivali.

Sansonetto accorse alla giostra, scese tra gli spettatori. Il cavaliere misterioso, tutto rivestito di una corazza d'acciaio chermisi, stava sbalzando di sella l'ultimo avversario e già il popolo lo proclamava di diritto sposo di Biancabella. Ma Sansonetto calò la visiera e, fra lo stupore generale, scese in lizza. Ed ecco che al primo colpo di Sansonetto l'invincibile campione chermisi dà un suono metallico e cupo e cade disteso.

Fu scosso, rialzato, aperto. Era vuoto.

Il cavaliere chermisi era una semplice corazza che la buona Fata Nasuta aveva animata d'uno spirito benigno e inviata alla giostra per sopprimere gli altri combattenti e dar modo al Reuccio di giungere in tempo. Il Reuccio Sansonetto alzò la visiera, e s'inchinò sugli arcioni, dinanzi alla loggia della sposa. Biancabella quasi venne meno dalla gioia improvvisa; e il Re abbracciò come figliuolo il giovinetto risanato.

Furono celebrate nozze splendidissime.

E i noccioli favolosi, seminati nei giardini reali, crebbero con gli anni e formarono un boschetto detto dell'« irriverenza ».

LA DANZA DEGLI GNOMI

Quando l'alba si levava,
si levava in sulla sera,
quando il passero parlava
c'era, allora, c'era... c'era...

... una vedova maritata ad un vedovo. E il vedovo aveva una figlia della sua prima moglie e la vedova aveva una figlia del suo primo marito. La figlia del vedovo si chiamava Serena, la figlia della vedova si chiamava Gordiana. La matrigna odiava Serena ch'era bella e buona e concedeva ogni cosa a Gordiana, brutta e perversa.

La famiglia abitava un castello principesco, a tre miglia dal villaggio, e la strada attraversava un crocevia, tra i faggi millenari di un bosco; nelle notti di plenilunio i piccoli gnomi vi danzavano in tondo e facevano beffe terribili ai viatori notturni.

La matrigna che sapeva questo, una domenica sera, dopo cena, disse alla figlia:

– Serena, ho dimenticato il mio libro di preghiere nella chiesa del villaggio: vammelo a cercare.

– Mamma, perdonate... è notte.

– C'è la luna più chiara del sole.
– Mamma, ho paura! Andrò domattina all'alba...
– Ti ripeto d'andare! – replicò la matrigna.
– Mamma, lasciate venire Gordiana con me...
– Gordiana resta qui a tenermi compagnia. E tu va'!

Serena tacque rassegnata e si pose in cammino. Giunse nel bosco e rallentò il passo, premendosi lo scapolare sul petto, con le due mani.

Ed ecco apparire fra gli alberi il crocevia spazioso, illuminato dalla luna piena.

E gli gnomi danzavano in mezzo della strada.

Serena li osservò fra i tronchi, trattenendo il respiro. Erano gobbi e sciancati come vecchietti, piccoli come fanciulli, avevano barbe lunghe e rossigne, giubbini buffi, rossi e verdi, e cappucci fantastici. Danzavano in tondo, con una cantilena stridula accompagnata dal grido degli uccelli notturni. Serena allibiva al pensiero di passare fra loro; eppure non c'era altra via e non poteva ritornare indietro senza il libro della matrigna. Fece violenza al tremito che la scuoteva, e s'avanzò con passo tranquillo.

Appena la videro, gli gnomi verdi si separarono da quelli rossi e fecero ala ai lati della strada, come per darle il passo. E quando la bimba si trovò fra loro la chiusero in cerchio, danzando. E uno gnomo le porse un fungo e una felce.

– Bella bimba, danza con noi!
– Volentieri, se questo può farvi piacere...

E Serena danzò al chiaro della luna, con tanta grazia soave che gli gnomi si fermarono in cerchio, estatici ad ammirarla.

– Oh! Che bella graziosa bambina! – disse uno gnomo.

Un secondo disse: – Ch'ella divenga della metà più bella e più graziosa ancora.

Disse un terzo:

– Oh! Che bimba soave e buona!

Un quarto disse: – Ch'ella divenga della metà più ancora bella e soave!

Disse un quinto: – E che una perla le cada dall'orecchio sinistro ad ogni parola della sua bocca.

Un sesto disse: – E che si converta in oro ogni cosa ch'ella vorrà.

– Così sia! Così sia! Così sia!... – gridarono tutti con voce lieta e crepitante.

Ripresero la danza vertiginosa, tenendosi per mano, poi spezzarono il cerchio, e disparvero. Serena proseguì il cammino, giunse al villaggio e fece alzare il sacrestano perché la chiesa era chiusa.

Ed ecco che ad ogni parola una perla le usciva dall'orecchio sinistro, le rimbalzava sulla spalla e cadeva per terra. Il sagrestano si mise a raccoglierle nella palma della mano. Serena ebbe il libro e ritornò al castello paterno. La matrigna la guardò stupita. Serena splendeva di una bellezza mai veduta:

– Non t'è occorso nessun guaio, per via?

– Nessuno, mamma.

E raccontò esattamente ogni cosa. E ad ogni parola una perla le cadeva dall'orecchio sinistro.

La matrigna si rodeva d'invidia.

– E il mio libro di preghiere?

– Eccolo, mamma.

La logora rilegatura di cuoio e di rame s'era convertita in oro tempestato di brillanti.

La matrigna trasecolava.

Poi decise di tentare la stessa sorte per la figlia Gordiana. La domenica dopo, alla stessa ora, disse alla figlia di recarsi a prendere il libro nella chiesa del villaggio.

– Così sola? Di notte? Mamma, siete pazza?

E Gordiana scrollò le spalle.

– Devi ubbidire, cara, e sarà un gran bene per te, te lo prometto.

– Andateci voi!

Gordiana, non avvezza ad ubbidire, smaniò furibonda e la madre fu costretta a cacciarla con le busse, per deciderla a partire.

Quando giunse al crocevia, inargentato dalla luna, i piccoli gnomi che danzavano in tondo si divisero in due schiere ai lati della strada, poi la chiusero in cerchio; e uno si avanzò porgendole il fungo e la felce e invitandola garbatamente a danzare.

– Io danzo con principi e con baroni: non danzo con brutti rospi come voi.

E gettò la felce e il fungo e tentò di aprire la catena dei piccoli ballerini con pugni e con calci.

– Che bimba brutta e deforme! – disse uno gnomo.

Un secondo disse: – Ch'ella diventi della metà più ancora cattiva e villana.

– E che sia gobba!

– E che sia zoppa!

– E che uno scorpione le esca dall'orecchio sinistro ad ogni parola della sua bocca.

– E che si copra di bava ogni cosa ch'ella toccherà.

– Così sia! Così sia! Così sia!... – gridarono tutti con voce irosa e crepitante.

Ripresero la danza prendendosi per mano, poi spezzarono la catena e disparvero.

Gordiana scrollò le spalle, giunse alla chiesa, prese il libro e ritornò al castello.

Quando la madre la vide dié un urlo:

– Gordiana, figlia mia! Chi t'ha conciata così?

– Voi, madre snaturata, che mi esponete alla mala ventura.

E ad ogni parola, uno scorpione dalla coda forcuta le scendeva lungo la persona.

Trasse il libro di tasca e lo diede alla madre; ma questa lo lasciò cadere con un grido d'orrore.

– Che schifezza! È tutto lordo di bava!

La madre era disperata di quella figlia zoppa e gobba, più brutta e più perversa di prima. E la condusse nelle sue stanze, affidandola alle cure di medici che s'adoprarono inutilmente per risanarla.

Si era intanto sparsa pel mondo la fama della bellezza sfolgorante e della bontà di Serena, e da tutte le parti giungevano richieste di principi e di baroni; ma la matrigna perversa si opponeva ad ogni partito.

Il Re di Persegonia non si fidò degli ambasciatori, e volle recarsi in persona al castello della bellezza famosa. Fu così rapito dal fascino soave di Serena che fece all'istante richiesta della sua mano.

La matrigna soffocava dalla bile; ma si mostrò ossequiosa al re e lieta di quella fortuna. E già macchinava in mente di sostituire a Serena la figlia Gordiana.

Furono fissate le nozze per la settimana seguente. Il giorno dopo il Re mandò alla fidanzata orecchini, smaniglie, monili di valore inestimabile.

Giunse il corteo reale per prendere la fidanzata. La matrigna coprì dei gioielli la figlia Gordiana e rinchiuse Serena in un cofano di cedro.

Il Re scese dalla carrozza dorata e aprì lo sportello per farvi salire la fidanzata. Gordiana aveva il volto coperto d'un velo fitto e restava muta alle dolci parole dello sposo.

– Signora mia suocera, perché la sposa non mi risponde?

– È timida, Maestà.

– Eppure l'altro giorno fu così garbata con me...

– La solennità di questo giorno la rende muta...

Il Re guardava con affetto la sposa.

– Serena, scopritevi il volto, ch'io vi veda un solo istante!

– Non è possibile, Maestà – interruppe la matrigna – il fresco della carrozza la sciuperebbe. Dopo le nozze si scoprirà.

Il Re cominciava ad inquietarsi.

Proseguirono verso la chiesa e già la madre si rallegrava di veder giungere a compimento la sua frode perversa.

Ma passando vicino ad un ruscello, Gordiana, smemorata ed impaziente, si protese dicendo:

– Mamma, ho sete!

Non aveva dette le tre parole che tre scorpioni neri scesero correndo sulla veste di seta candida.

Il Re e il suocero balzarono in piedi, inorriditi, e strapparono il velo alla sposa. Apparve il volto orribile e feroce di Gordiana.

– Maestà, queste due perfide volevano ingannarci.

Il suocero e il Re fecero arrestare il corteo a mezza strada. Il Re salì a cavallo e volle ritornare, solo, di gran galoppo, al castello della fidanzata.

Salì le scale e prese ad aggirarsi per le sale chiamando ad alta voce.

– Serena! Serena! Dove siete?

– Qui, Maestà!

– Dove?

– Nel cofano di cedro!

Il Re forzò il cofano con la punta della spada e sollevò il coperchio. Serena balzò in piedi, pallida e bella. Il Re la sollevò fra le braccia, la pose sul suo cavallo e ritornò dove il corteo l'aspettava. Serena prese posto nella berlina reale, tra il padre e il fidanzato.

Furono celebrate le nozze regali.

Della matrigna e della figlia perversa, fuggite attraverso i boschi, non si ebbe più alcuna novella.

I TRE TALISMANI

Quando i polli ebbero i denti
e la neve cadde nera
(bimbi state bene attenti)
c'era allora, c'era... c'era...

... un vecchio contadino che aveva tre figliuoli. Quando sentì vicina l'ora della morte li chiamò attorno al letto per l'estremo saluto.

– Figlioli miei, io non son ricco, ma ho serbato per ciascuno di voi un talismano prezioso. A te, Cassandrino, che sei poeta e il più miserabile, lascio questa borsa logora: ogni volta che v'introdurrai la mano troverai cento scudi. A te, Sansonetto, che sei contadino e avrai da sfamare molti uomini, lascio questa tovaglia sgualcita: ti basterà distenderla in terra o sulla tavola, perché compaiano tante portate per quante persone tu voglia. A te, Oddo, che sei mercante e devi di continuo viaggiare, lascio questo mantello: ti basterà metterlo sulle spalle e reggerlo alle cocche delle estremità, con le braccia tese, per diventare invisibile e farti trasportare all'istante dove tu voglia.

Il buon padre spirò poco dopo: e i tre figli presero piangendo il loro talismano e si separarono.

Cassandrino giunse in città, comperò un palazzo meraviglioso, abiti, gioielli, cavalli e prese a condurre la vita del gran signore. Tutti lo dicevano un principe in esilio ed egli stesso cominciò a crederlo; tanto che gli venne il desiderio di far visita al Re. Si vestì degli abiti e dei gioielli più sfolgoranti e si presentò a palazzo.

Una guardia gli fermò il passo.

– Principe, che desiderate?

– Vedere il Re.

– Favorite il vostro nome, e se Sua Maestà crederà bene, vi riceverà.

– Meno cerimonie! Eccovi cento scudi.

La guardia s'inchinò fino a terra e Cassandrino passò innanzi: alla porta reale quattro alabardieri gli fermarono il passo.

– Principe, dove andate?

– Dal Re.

– Non ci si presenta così a Sua Maestà. Dite il vostro nome e se il Re vorrà ricevervi, passerete.

Cassandrino offrì cento scudi ad ogni alabardiere. Ma questi esitavano.

– Non basta? Prendete ancora.

Gli alabardieri, vinti dall'oro, cedettero il passo. Cassandrino diventò amico del Re.

Dopo qualche giorno in tutta la Corte si parlava meravigliati della sua generosità favolosa. Ovunque egli passava distribuiva mance di cento scudi, e servi, cuochi, fantesche, fanti, valletti, s'inchinavano esultanti. La cameriera della principessa, figlia unica del

Re, più beneficata di tutti e più scaltra degli altri, cominciò a sospettare qualche magia nel principe generoso e ne parlò alla sua padrona, una sera, togliendole le calze.

– Principessa, la borsa del forestiero è fatata; non vedete com'è piccola: e tuttavia ne trae ogni sera migliaia di scudi... Bisognerebbe prendergliela.

– Bisognerebbe – assentì la principessa – ma come fare?

– Egli siede ogni sera alla vostra sinistra; versategli nel bicchiere un soporifero; s'addormenterà e l'impresa sarà facile.

Così fu fatto. La sera seguente, alle frutta, il principe Cassandrino cominciò ad appisolarsi, poi chinò la testa sulla tovaglia e, fra lo stupore del Re e dei convitati, s'addormentò. Fu portato in una camera del palazzo e disteso sul letto.

L'ancella, vigilante, gli prese la borsa e la portò alla sua padrona. Poi, di comune intesa, confidarono a quattro sgherri il giovine addormentato e lo fecero deporre fuori delle porte, in un campo deserto. All'alba Cassandrino si svegliò intirizzito e comprese il giuoco che gli era stato fatto.

– Mi vendicherò – egli disse; e lasciò la città e prese la via del paese nativo.

Giunse dal fratello contadino, che lo accolse a braccia aperte e lo fece sedere presso il focolare, tra la moglie ed i figli.

– Fratello mio Cassandrino, e la tua borsa fatata?

– Ohimè! Mi fu rubata e nel modo più fanciullesco –. E raccontò al fratello la disavventura. – Tu potresti aiutarmi a ricuperarla.

– Come?

– Prestandomi per qualche tempo la tua tovaglia magica.

Il fratello esitava.

– Te ne prego, non la terrò che pochi giorni, e ti sarà riconsegnata.

Sansonetto diede la tovaglia fatata a Cassandrino, supplicandolo di restituzione sicura. Cassandrino ritornò in città, vestì abiti dimessi, e si presentò a palazzo come cuoco disimpiegato. Il Ministro delle Pietanze lo guardò incredulo e sprezzante e gli assegnò l'ultimo posto nella burocrazia culinaria.

Un giorno che il Re dava un pranzo di gala agli ambasciatori del Sultano, Cassandrino disse al capo dei cuochi:

– Lasciate a me solo l'incarico di tutto: vi prometto un pranzo mai più visto.

Il capo sghignazzò, sprezzante:

– Povero sguattero scimunito!

Ma Cassandrino insistette con tanta convinzione che il capo disse:

– Rispondi di tutto sulla tua testa?

– Sulla mia testa.

I cuochi e il loro capo andarono a passeggio, e Cassandrino restò nelle cucine. Pochi minuti prima di mezzogiorno salì nella sala da pranzo e distese la tovaglia miracolosa in un angolo della tavola immensa.

– Tovaglia! Tovaglia! Sia servito un banchetto di

cinquecento coperti, tale da sbalordire il Re, la Corte, gli Ambasciatori, tale da confondere tutti i cuochi della terra!

Ed ecco biancheggiare le tovaglie finissime, scintillare i cristalli e le argenterie, e profondersi le pietanze più raffinate, i pasticci dall'architettura fantastica, le cacciagioni prelibate, i pesci rari, i frutti d'oltre mare, i vini delle isole del sole. Giunse l'ora del pranzo e i commensali furono entusiasti. Il Re chiamò il capo dei cuochi e volle onorarlo dei suoi complimenti in presenza di tutta la Corte. Il capo, da quel giorno, affidò a Cassandrino la direzione delle cucine, appropriandosi tutti gli elogi.

Cassandrino saliva ogni giorno, solo, nella sala da pranzo, pochi istanti prima del pasto: si chiudeva a chiave, e ne usciva quasi subito; le mense reali erano imbandite.

La servitù cominciava a sospettarlo di stregoneria.

L'ancella della principessa, più scaltra degli altri, lo spiò un giorno dalla toppa e vide l'apparizione improvvisa delle vivande.

Subito confidò la cosa alla padrona.

– Principessa, l'uomo dalla borsa è ancora nel palazzo sotto le spoglie del capo dei cuochi; e possiede una tovaglia che opera tutto l'incantesimo!

– Bisogna avere quella tovaglia! – disse la principessa.

– L'avremo! – assicurò l'ancella. E la notte seguente forzò lo stipo dove Cassandrino chiudeva la tovaglia miracolosa e la sostituì con una tovaglia comune.

L'indomani, all'ora del pranzo, Cassandrino distese inutilmente la tovaglia e ripeté invano la formula imperativa. Le tavole restavano deserte.

– Eccomi gabbato una seconda volta! Ma non importa, mi vendicherò!

E uscì dal palazzo e ritornò al paese natìo. Si presentò al fratello mercante, che lo abbracciò e gli domandò delle sue avventure. Cassandrino gli confidò i suoi casi non lieti.

– Mi hanno rubata la borsa e la tovaglia, ma se tu volessi potresti aiutarmi a ricuperare il tutto.

– E come, fratello mio?

– Imprestandomi per qualche giorno il mantello fatato.

Il mercante esitò; il mantello che rendeva invisibili e aboliva le distanze gli era necessario pel suo commercio. Ma Cassandrino tanto supplicò che ottenne il mantello. Col mantello aperto e sorretto alle estremità dalle braccia tese, giunse in un attimo alla città, salì invisibile le scale del palazzo, s'introdusse nelle stanze della principessa: questa dormiva e Cassandrino le coprì il volto con un lembo del mantello.

– Per la virtù di questo mantello, desidero essere trasportati entrambi alle Isole Fortunate.

Il mantello li avvolse come in una nube cupa e vertiginosa e pochi secondi dopo li deponeva in un boschetto di palmizi, nell'isole remote.

La principessa – vedendosi in balia del suo nemico – finse di rassegnarsi all'esilio con lui, ma questo fece per scoprire il segreto della sua potenza; e tanto seppe ingannarlo che gli strappò la confidenza del mantello. Una notte che Cassandrino dormiva col panno prezioso ripiegato sotto la nuca, glielo sottrasse cautamente.

– Per virtù di questo mantello voglio essere trasportata nel palazzo di mio padre il Re.

Cassandrino si svegliò mentre il mantello avvolgeva la principessa in una nube cupa e vertiginosa e la rapiva nell'azzurro verso il regno del padre.

– Eccomi ancora derubato da quella perfida –. E si mise a singhiozzare disperato.

Passò molti mesi nell'isola, mantenendosi di frutti. Un giorno, vagando sulla riva del mare, scoperse un albero dai pomi enormi e vermigli. Ne mangiò uno e lo trovò squisito. Ma sentì tosto per tutto il corpo un prurito inquietante.

Si guardò le mani, le braccia, si specchiò ad una fonte e si vide coperto di squame verdi.

– Oh! povero me! Che cos'è questo?

E si palpava la pelle squammosa come quella d'un serpente. Cassandrino fu tentato da altri pomi gialli che crescevano sopra un albero vicino. Ed ecco un nuovo prurito, e le squamme verdi sparire a poco a poco e la pelle ritornargli bianca per tutta la persona. Allora prese ad alternare le due specie di frutti e si divertiva a vedersi imbiancare e rinverdire.

Dopo vari mesi di esilio passò all'orizzonte una fusta di corsari e Cassandrino tanto s'agitò gridando che quelli si appressarono alla spiaggia e l'accolsero sul legno. Ma prima di lasciar l'isola il giovane raccolse tre pomi dell'una e dell'altra pianta e li mise in tasca.

Fu così rimpatriato e ritornò alla città della principessa. La domenica seguente si travestì da pellegrino, collocò un deschetto sui gradini della chiesa dove la figlia del Re si recava alla messa e vi pose sopra i tre pomi bellissimi che facevano inverdire.

La principessa passò, seguita dall'ancella, e si soffermò ammirata, ma non riconobbe il falso pellegrino. Si rivolse all'ancella: – Tersilla, andate a comperare quelle mele.

La donna s'avvicinò al pellegrino:

– Quanto volete di questi frutti?

– Trecento scudi.

– Avete detto?

– Trecento scudi.

– Siete pazzo? Cento scudi al pomo!

– Se li volete, bene: altrimenti son vane le parole.

La donna ritornò dalla sua padrona.

– Trecento scudi! avete fatto bene a non prenderli.

Ed entrarono in chiesa per la messa.

Ma durante la cerimonia la principessa, ginocchioni ai piedi dell'altare, con gli occhi al cielo e le mani congiunte, non faceva che pensare ai pomi del pellegrino. Appena uscita si fermò ancora ad ammirarli, poi disse all'ancella: – Andate a comperare quei frutti per trecento scudi: mi rifarò con la borsa miracolosa.

La donna s'avvicinò e parlò col pellegrino.

– Perdonate, mia cara, non più trecento, ma seicento scudi voglio dei pomi.

– Vi burlate di me?

– Bisognava prenderli prima. Ora il prezzo è doppio.

La donna ritornò dalla sua padrona, poi dal pellegrino e fece la compera. A mensa i pomi furono presentati sopra un vassoio d'oro e formarono l'ammirazione di tutti. Alle frutta il Re ne prese uno per sé, ne diede uno alla Regina e uno alla principessa e furono trovati deliziosi. Ma i mangiatori non erano giunti a metà che cominciarono a guardarsi inquieti l'un l'altro e si videro inverdire e coprirsi di squamme serpentine. Avvenne una scena di disperazione e di terrore.

I Reali vennero trasportati nelle loro stanze e la novella terribile si diffuse in tutto il regno.

Furono consultati invano i medici più famosi. Allora si pubblicò un bando: chiunque facesse scomparire la pelle verde alla famiglia reale otteneva la mano della principessa o, se ammogliato, la metà del regno.

Cassandrino lasciò sfollare i medici, i chirurghi, le sortiere, i negromanti, e si presentò dopo qualche giorno a palazzo reale.

Fu ammesso nella stanza degli ammalati.

– Promettete dunque di farci guarire?

– Lo prometto.

– E quando comincerete la cura?

– Anche subito, se volete.

Cassandrino fece denudare il Re fino alla cintola; poi trasse da una cesta un fascio d'ortiche e con le mani inguantate cominciò a flagellare le spalle reali.

– Basta! Basta! – urlava il Re.

– Non ancora, Maestà.

Poi passò alla Regina e ripeté sulle spalle di lei la stessa funzione.

Quando i due Sovrani furono deposti sul letto, semivivi, Cassandrino porse loro i frutti delle isole lontane.

Ed ecco i volti imbiancarsi a poco a poco, le squamme diradarsi, svanire del tutto.

I Reali erano esultanti.

Venne la volta della principessa.

Cassandrino volle restar solo con lei, e si chiuse a chiave nella sua stanza.

Giunsero tosto le urla e i gemiti strazianti. La cura incominciava.

– Aiuto! Basta! Basta!

La cura proseguiva.

– Muoio! Basta! Aiuto! Per carità!

Dopo un'ora Cassandrino uscì dalla sua stanza, lasciando la principessa semiviva.

– E la pelle? – domandarono i Sovrani.

– Gliela imbiancherò domani. Domani ritornerò per ultimare la cura.

Cassandrino andò a trovare un abate, amico suo, e gli disse:

– Domani, verso mezzogiorno, trovati a palazzo reale per confessare la principessa che versa in pericolo di vita.

L'abate promise di trovarvisi.

Il giorno dopo Cassandrino si presentò a palazzo: – Sacra Corona, oggi farò l'ultimo trattamento della principessa, ma siccome potrebbe soccombere...

– Gran Dio! Che dite mai? – urlarono i Sovrani.

– Ho pensato bene di avvisare un abate, per gli ultimi conforti. Sarà qui verso mezzogiorno.

Poi salì dalla principessa: – Oggi vi sottoporrò all'ultimo trattamento, e poiché potrebbe esservi fatale, hanno avvisato un abate per la tranquillità della vostra coscienza.

La principessa aveva gli occhi fissi dallo spavento. Sopraggiunse l'abate che fu lasciato solo con l'ammalata e Cassandrino attese in un gabinetto attiguo.

Quando il confessore uscì dalla stanza, Cassandrino disse: – Amico mio, favoriscimi alcuni istanti la tua veste.

– Sarebbe un insulto alla mia divisa.

– Non temere cose sacrileghe. È per ottimo fine. – Cassandrino si vestì della veste sacerdotale e si presentò alla principessa che gemeva nella sua alcova.

– Figliuola mia, temo abbiate dimenticato qualche cosa nella confessione delle vostre colpe... Meditate, cercate ancora... Pensate che siete forse sul punto di presentarvi al giudice supremo.

La principessa allibiva, singhiozzando.

– Vediamo – diceva Cassandrino, imitando la voce dell'amico – non ricordate d'aver sottratto... rubato qualche cosa?

– Ah, Padre! – singhiozzò la principessa. – Ho rubato una borsa miracolosa a un principe forestiero.

– Bisogna restituirla! Confidatela a me e gliela farò avere.

La principessa indicò col gesto stanco uno stipo d'argento: e Cassandrino prese la borsa.

– E altro... altro ancora, non ricordate?

– Ah! Padre: ho rubato una tovaglia fatata allo stesso forestiero: prendetela, è là, in quell'arca d'avorio.

– E altro, altro ancora?

– Un mantello, Padre! Un mantello incantato, allo stesso forestiero. È là, in quell'armadio di cedro...

E Cassandrino prese il mantello.

– Sta bene – proseguì il falso prete – ora mordete questo pomo: vi gioverà.

La principessa addentò il frutto e subito le squamme verdi si diradarono lentamente e scomparvero del tutto. Allora Cassandrino si tolse la parrucca e la veste.

– Principessa, mi riconoscete?

– Pietà, pietà! Perdonatemi d'ogni cosa! Sono già stata punita abbastanza!

I Sovrani entrarono nella camera della figlia e il Re, vedendola risanata, abbracciò il medico.

– Vi offro la mano della principessa: vi spetta di diritto.

– Grazie, Maestà! Sono già fidanzato con una fanciulla del mio paese.

– Vi spetta allora metà del mio regno.

– Grazie, Maestà! Non saprei che farmene! Sono pago di questa borsa vecchia, di questa tovaglia, di questo mantello logoro...

Cassandrino, fattosi invisibile, prese il volo verso il paese nativo, restituì ai fratelli i talismani recuperati e, sposata una compaesana, visse beato fra i campi, senza più tentare l'avventura.

LA FIACCOLA DEI DESIDERI

Quando in quella che fuggì
settimana veritiera
si contò tre Giovedì
c'era, allora, c'era... c'era...

... un vecchio contadino che viveva in una povera capanna. Questo contadino aveva un figliuolo malaticcio, gobbo, distorto; e per colmo d'ironia questo figliuolo si chiamava Fortunato. Sui diciott'anni Fortunato decise di lasciare la capanna paterna e di mettersi alla ventura.

Salutò il padre, che lo benedì piangendo; si fabbricò un paio nuovissimo di grucce scolpite e prese la via di levante, attraversò monti e pianure, patì la fame e la sete, in attesa sempre della fortuna. E la fortuna non veniva.

Un giorno, sul crepuscolo, s'attardò per un sentiero sconosciuto, in una foresta d'abeti.

Camminava in fretta, per giungere prima di notte a qualche capanna dove riparare, e sentiva il cuore balzargli di terrore alle prime grida degli uccelli notturni, al primo ululato dei lupi.

Ad un tratto, tra la ramaglia e i tronchi diritti, gli parve di scorgere un chiarore tremulo: affrettò il passo sulle stampelle, giunse ad una capanna di legno, picchiò freddoloso.

La porta si aprì: una vecchietta minuscola, curva, canuta, grinzosa, apparve nel vano, al chiarore del focolare.

– Buona donna, mi sono perduto; accoglietemi, per carità.

– Vieni avanti, figliuolo mio.

Fortunato entrò nel tepore della capanna.

– Ti farò parte della mia cena; ti accontenterai di quel poco.

– Anche troppo, madre mia.

Si sedettero al desco.

La vecchia pose in mezzo un piattello ed una ciotola minuscola, con una briciola e due chicchi di riso. Fortunato la guardava, stupito.

« Non aveva torto » pensava tra sé « a dirmi che mi accontentassi del poco ».

Ma la vecchietta fece un segno imperioso con la mano destra: ed ecco la briciola crescere, crescere, prendere la forma d'un passero, d'un colombo, d'un pollo, d'un tacchino arrostito, dagli appetitosi riflessi d'oro. Ed ecco la ciotola crescere, convertirsi in una zuppiera elegante, dove fumigava una minestra dal soave profumo. Fortunato credeva di sognare.

Mangiò con appetito, meravigliato di sentire sotto i denti quei cibi creati dall'arte maga. E guardava di sott'occhi l'ospite misteriosa.

Dopo cena, la vecchietta fece sedere Fortunato presso gli alari, sotto la cappa del camino, e gli si accoccolò di contro.

– Figliolo, raccontami la tua storia.

Fortunato le disse delle sue vicende e del suo vano pellegrinare in cerca di fortuna.

– Aiutatemi voi, che dovete essere una fata potente.

– Io non sono una fata potente e i miei incantesimi sono pochi... Ti gioverò confidandoti un segreto che tutti ignorano. Ti indicherò la via che conduce al castello dei desiderî...

All'alba del domani la vecchietta accompagnò Fortunato attraverso i boschi, si fermò ad un crocevia, e gli indicò la strada da scegliere.

– Cammina tre giorni e tre notti senza voltarti indietro, qualunque cosa tu senta. Giungerai ad un castello a cavaliere sulla valle. Da secoli nessuno osa affrontare il mistero di quelle mura. Picchierai con questa pietra alla gran porta, che s'aprirà per incanto. Attraverserai cortili e stanze, androni e corridoi. Nell'ultima stanza troverai un vecchio addormentato in piedi, con il braccio teso, recante fra le dita un cero verde; è quello il talismano che tu devi carpire e che esaudirà ogni tuo desiderio. Bada che il castello è pieno di frodi magiche e di orrori diabolici. Ma il negromante, i draghi, gli spiriti si addormenteranno dal mezzogiorno al tocco. Se tu ti fermassi scoccato il tocco, saresti perduto...

Fortunato prese la pietra, ringraziò la vecchia e

proseguì la strada sulle sue stampelle. Verso sera si sentì chiamare alle spalle:

– Fortunato! Fortunato! Fortunato!

Non ricordò l'avvertimento della vecchia e si voltò. Ed eccolo ricondotto d'improvviso al punto donde era partito.

– Pazienza, ricomincerò.

E riprese la strada, deciso di non più voltarsi.

Dopo un giorno di cammino sentì un urlo alle sue spalle.

– Mi ammazzano! Aiuto! Giovine, per carità!

Si voltò impietosito, ed eccolo ricondotto al punto di partenza. Ebbe un moto d'ira, poi riprese pazientemente il cammino sulle sue stampelle.

Camminò due giorni: al tramonto del secondo giorno sentì un fragore d'armi, uno scalpitìo di cavalli; si voltò impaurito ed eccolo ricondotto al crocevia di partenza.

– Sono inganni che mi tende il negromante; ma saprò come fare.

E si turò le orecchie con batuffoli di stoppa e proseguì tranquillo la strada, sordo ai richiami. Dopo tre giorni giunse al castello disabitato. Attese lo scoccare delle dodici e picchiò con la pietra. La porta immensa, scolpita a disegni favolosi, s'aprì per incanto.

Fortunato indietreggiò, inorridito. Aveva innanzi un cortile pieno di salamandre gigantesche, di rospi, di vipere, di scorpioni colossali. Ma tutti dormivano e Fortunato si fece animo, passò con le sue stampelle tra i dorsi viscidi, le code, le corazze, i tentacoli inerti. At-

traversò cortili, androni, corridoi, giunse ad una sala tutta coperta di monete d'argento: si chinò e se ne empì le tasche. Giunse ad una seconda sala piena di monete d'oro: si chinò, gettò le monete d'argento e raccolse le monete d'oro. Giunse ad una terza sala, ingombra di alte piramidi di gemme: vuotò le tasche dell'oro e le empì di brillanti. Attraversò altri cortili, altri corridoi, giunse in un'ultima sala immensa ed oscura.

Il negromante decrepito, dalla barba lunga e candida, dormiva in piedi, recando nella mano protesa il cero verde.

Fortunato lo guardava stupito, guardava stupito le mille cose strane del laboratorio diabolico. Poi si sovvenne del tempo che passava, tolse il cero di mano al negromante, ritornò indietro di corsa, si smarrì pei corridoi... Il tocco doveva essere imminente e s'egli non usciva prima, era perduto... Ritrovò finalmente le sale dei diamanti, dell'oro, dell'argento, attraversò il cortile delle belve addormentate, passò colle sue stampelle tra i dorsi e le code viscide, raggiunse la porta immensa. I battenti si rinchiusero alle sue spalle, con fragore sordo.

Il tocco scoccò nell'istante.

Un clamore spaventoso s'alzò dietro le mura del castello: gracidii, sibili, urla roche e furenti; erano i mostri guardiani che s'accorgevano del furto. Ma Fortunato era salvo.

Subito accese il cero e comandò:

– Mi sparisca la gobba, mi si raddrizzino le gambe!

E la gobba disparve e le gambe si raddrizzarono. Fortunato gettò via le grucce, spense il cero, perché consumava rapidamente, e si diresse alla città. Giunse in città a notte fatta, scelse un'altura spaziosa e vi comandò un palazzo più bello di quello reale.

All'alba i cittadini guardarono trasecolando l'edificio meraviglioso, le sue torri, le logge, le scalee, i terrazzi, gli orti pensili fioriti in una sola notte. Fortunato stava ad un balcone, vestito da gran signore.

Il Re, ch'era un tiranno malvagio, arse di sdegno e d'invidia per l'ignoto forestiero e gli mandò un valletto intimandogli di recarsi a Corte.

– Direte al Re che non m'inchino a nessuno. Se crede bene venga lui da me.

Il Re fece decapitare il valletto che ritornò con tale risposta, e giurò odio eterno al forestiero misterioso.

Fortunato viveva la vita del gran signore, eclissando con lo sfoggio delle vesti, delle cavalcature, dei levrieri la magnificenza della corte reale.

Gli bastava accendere pochi secondi il cero verde e subito ogni suo desiderio era appagato. Ma intanto il cero s'accorciava sempre più e Fortunato cominciava ad inquietarsi e a diradare i comandi. E non era felice. Sentiva che una cosa gli mancava e non sapeva quale.

Un giorno, cavalcando per la città, vide ad una loggia della reggia la figlia unica del Re. La principessa sembrava sorridergli benevola, ma era circondata dalle dame e guardata a vista dai paggi e dai cavalieri.

Il giorno dopo Fortunato passò ancora sotto la loggia e rivide la principessa fra le sue donne accennargli un sorriso compiacente.

Fortunato s'innamorò perdutamente di lei. Una sera di plenilunio egli stava sul più alto dei suoi giardini pensili, appoggiato ai balaustri che dominavano la città.

– Forse il cero potrebbe appagarmi anche in questo...

E meditò a lungo come esprimere il suo desiderio.

– Cero, bel cero, voglio che la principessa sia fatta invisibile e venga trasportata all'istante nel mio giardino.

Fortunato attese col cuore che gli palpitava forte...

Ed ecco apparire la figlia del Re, vestita di una tunica bianca e con le chiome scomposte.

– Aiuto! Aiuto! Dove sono? Chi siete voi?

La principessa tremava, folle di terrore. Si era sentita sollevare dal suo letto, trasportare a volo attraverso lo spazio. Fortunato s'inginocchiò, baciandole il lembo della tunica.

– Sono il cavaliere che passa ogni giorno sotto i vostri balconi, principessa, e se vi feci trasportare qui, non è con fine malvagio, ma per potervi umilmente parlare –. E Fortunato le dichiarò il suo amore e le disse che voleva presentarsi al Re per chiederla in isposa.

– Non fate questo! Mio padre vi odia perché siete più potente di lui. Se vi presentaste vi farebbe uccidere all'istante.

Dopo quella sera Fortunato faceva convenire sovente sui suoi terrazzi la principessa Nazzarena.

Essa appariva al richiamo dello sposo, non più pallida e tremante, ma sorridendo, improvvisa come un'apparizione celeste. Passeggiavano sotto i palmizi, fra le rose e i gelsomini, e guardavano la città addormentata. All'alba Fortunato comandava al cero verde di trasportare la principessa nelle sue stanze e questa si ritrovava, pochi attimi dopo, nel suo letto d'alabastro. Ma un'ancella malevola si era accorta di queste assenze notturne e riferì la cosa al Re.

– Se non è vero ti faccio appiccare – aveva detto il Sovrano minaccioso.

– Sacra Corona, potete accertarvene con gli occhi vostri.

La sera dopo il Re si nascose dietro i cortinaggi, spiando la figlia addormentata.

Ed ecco, verso la mezzanotte, una voce remotissima che dice: – Cero, bel cero, portami Nazzarena!

Ed ecco la figlia farsi invisibile e la finestra aprirsi per incantesimo. Il Re era furente.

E quando all'alba Nazzarena riapparve dormendo nel suo letto, il padre l'afferrò per le trecce d'oro:

– Dove sei stata, disgraziata?

– Nel mio letto. Ho dormito tutta notte, padre mio.

Il Re si calmò.

– Allora si tratta di un malefizio che tu stessa ignori e che saprò bene scoprire.

Si consigliò con un negromante.

Questi consultò invano la sua scienza profonda.

– Non c'è che un solo espediente, Sacra Corona. Appendete alle vesti della principessa Nazzarena una borsa forata piena di farina: all'alba scopriremo la traccia del suo cammino.

Con l'aiuto della fantesca fu appesa alla tunica notturna della principessa la borsa forata piena di farina. All'alba il Re armò tutto il suo esercito e con la spada in pugno seguì la sottile traccia candida... E la traccia lo condusse al palazzo del forestiero misterioso.

Irruppe nelle stanze di Fortunato che dormiva. Prima che questi potesse ricorrere al cero salvatore, lo fece legare, trasportare al palazzo reale, rinchiudere nei sotterranei, per decretare la pena.

Fu condannato a morte e il giorno del supplizio tutto il popolo s'accalcava sulla gran piazza. Ai balconi del palazzo reale stava tutta la Corte, col Re, la Regina, la principessa pallida e disperata.

Fortunato salì tranquillo il palco del supplizio.

Il carnefice gli disse:

– Com'è usanza nel regno, potete esprimere a Sua Maestà un ultimo desiderio.

– Chiedo soltanto mi sia recato un piccolo cero verde, che ho dimenticato a palazzo, in un cofano d'avorio. È un caro ricordo e vorrei baciarlo prima di morire.

– Gli sia concesso – disse il Re.

Un valletto ritornò col cofano d'avorio e, fra l'attenzione di tutto il popolo, Fortunato trasse il cero verde, lo accese mormorando:

– Cero, bel cero, che tutti i qui presenti, che tutti i sudditi del regno, eccezion fatta della principessa, sprofondino in terra fino al mento.

Ed ecco la folla, la Corte, il Re, la Regina, inabissarsi d'improvviso.

La piazza e le vie della città apparivano coperte di teste che stralunavano gli occhi e invocavano aiuto. Fortunato distinse fra le innumerevoli teste brune, bionde, calve, canute, la testa coronata del Re che rotava gli occhi a destra e a sinistra e ordinava imperiosamente d'essere dissepolto. Ma in tutto il regno non era più rimasto in piedi un suddito solo!

Fortunato prese Nazzarena al braccio e s'appressò alla testa regale.

– Maestà, ho l'onore di chiedervi la mano della principessa Nazzarena.

Il Re guardò Fortunato con occhi irosi e non fece motto.

– Se tacete, partirò oggi stesso con lei e lascerò voi e i vostri sudditi sepolti fino al mento.

Il Re guardò Fortunato, lo vide giovine e bello, pensò ch'era più potente di lui, e che sarebbe stato un buon successore.

– Maestà, vi chiedo la mano di Nazzarena.

– Vi sia concessa – sospirò il Re.

– Parola di Re?

– Parola di Re.

Fortunato comandò al cero il disseppellimento di tutti e tutti risorsero per incanto...

E nel giorno stesso, invece della condanna feroce, furono celebrate le nozze.

LA LEPRE D'ARGENTO

Quando il filtro e la sortiera
preparavano gl'incanti
(ascoltate, tutti quanti!)
c'era, allora, c'era... c'era...

... un principe chiamato Aquilino, che aveva vent'anni e voleva condurre in moglie la più bella principessa del mondo. Pubblicò il bando di nozze e giunsero centinaia di ritratti, ch'egli fece esporre nelle gallerie del castello; e là meditava sulle belle sorridenti dalle grandi cornici dorate.

La scelta cadde su Nazzarena, principessa di Bikarìa, e per mezzo ad ambasciatori furono concertate le nozze.

Nel castello di Aquilino si fecero grandi preparativi per la cerimonia e all'alba del giorno sospirato il principe era già sulla torre più alta, alle vedette. Il corteo doveva giungere tra poco; tra poco avrebbe visto per la prima volta quella bellezza famosa.

Ma il corteo non giungeva.

Si vide apparire una sola carrozza e ne scese un vecchietto gobbuto e barbuto.

– Io sono il Re di Bikarìa. E questa è la mia figliuola Nazzarena che chiedete per moglie.

Aquilino non poté trattenere un gesto di delusione. La principessa era nana, pallida, vizza, per nulla rassomigliante al ritratto della scelta.

Il vecchietto se n'avvide.

– La stanchezza del viaggio e l'emozione l'hanno sfinita. Si rimetterà e la ritroverete bella.

Aquilino voleva disdire le nozze, ma la parola era data e bisognava mantenerla.

Chiese che la cerimonia fosse rimandata di due giorni e ospitò il vecchio e la figlia nel castello.

Al mattino seguente, per distrarsi dallo scontento e dalla delusione, uscì alla caccia, solo, con una bella spingarda d'oro, costellata di gemme. Camminò per campi e prati, giunse in una foresta millenaria.

Attraverso un sentiero gli apparve una lepre d'argento che brucava l'erba e lo guardava fisso, per nulla spaurita di lui.

Il principe puntò l'arma e fece fuoco. Ma il fumo del fuoco si dissipò e la lepre riapparve al medesimo posto, incolume e tranquilla.

Il principe s'avanzò. La lepre fuggì, si arrestò dopo un tratto, fissandolo coi suoi calmi occhi umani. Aquilino sparò ancora. Il fumo si dileguò e la lepre riapparve ancora calma ed intatta, seduta sulle sue zampe, un orecchio su e l'altro giù, con gli occhi supplichevoli, col muso palpitante, proteso verso di lui. Ma come il principe gettò l'arme e s'avanzò, essa dié un balzo e disparve fra i tronchi degli abeti. Aquilino restò perplesso.

Si trattava di un malefizio.

S'appoggiò al tronco d'un albero gigantesco, ripensando lo sguardo dolce della vittima invulnerabile. E gli parve di sentire dietro di sé, dall'interno del tronco, una eco lontana di musiche e di voci; si volse, fece il giro dell'albero: nessuno. Si riappoggiò al tronco. E riudì il suono e le voci.

Picchiò la corteccia col pugno impaziente.

La corteccia cigolò, s'aprì a due battenti, e al principe sbigottito apparve una scalea abbagliante. Egli salì i primi scalini, trasognato, udì il colpo della porta che si chiudeva. Il palazzo era immenso. Le scale, gli atrii, i corridoi, le logge, le sale si succedevano senza fine, ricche di marmi, di porfido, di diaspro, di gemme. Aquilino s'avanzava trasognato.

Si faceva notte e nessuno appariva nel palazzo incantato. Solo due mani lo precedevano: l'una recando una lucerna, l'altra facendogli segno di seguirla. Giunsero così in una sala vastissima da pranzo; Aquilino si sedette a tavola. E le due mani cominciarono a recar cibi e vini prelibati.

Egli guardava quelle due mani isolate, volanti, cercava di afferrarle quando le aveva vicine, ma quelle deponevano i piatti e guizzavano via come farfalle. Mangiò, poi si sentì prendere dal sonno, s'alzò per andare a dormire. Le due mani lo precedettero in una camera di damasco vermiglio, gli fecero un gesto d'addio e d'augurio, disparvero.

Egli si cacciò fra le lenzuola fini, e si addormentò. Sognava di riveder la principessa Nazzarena, non quella condotta dal gobbo barbuto, ma quale gli era apparsa nel quadro, bellissima e bionda.

Quand'ecco uno schiamazzo lo svegliò. Socchiuse gli occhi. La stanza era illuminata e molte paia di mani, eguali a quelle della sera prima, guizzavano, s'intrecciavano, accennando verso di lui.

– A che giuoco si gioca?

– Alla palla.

– Giochiamo alla palla con quel tale che dorme?

– Chi dorme?

– Là, nel letto, non lo vedete?

E attraverso le ciglia socchiuse, il principe vide le mani avvicinarsi. Afferrarono le lenzuola e, tenendole tese agli orli, cominciarono a farlo sbalzare con risa rauche e sibili acuti.

Egli teneva le ciglia chiuse, fingendo di dormire.

– Non vuole svegliarsi!

– Lo sveglieremo! Lo sveglieremo!

E raddoppiarono la foga del gioco crudele.

Al primo canto del gallo le mani lo sbalzarono nel letto e disparvero.

Aquilino si palpava le ossa indolenzite, quando udì un fruscio e si vide accanto la lepre d'argento. Invece delle quattro zampe aveva due piedi e due mani bianchissime di donna.

– Principe Aquilino, io sono la principessa Nazzarena, quella che il vostro cuore scelse per compagna. Quando giunsi col mio corteo nel bosco, un mago mi trasformò, imprigionandomi con la mia gente in questo castello. Sarò salva se passerete qui dentro tre notti simili a questa. Il mago è quegli stesso che si presentò al vostro cospetto tentando di farvi sposare la sua nanerottola.

La lepre disparve.

Aquilino attese ansioso la seconda sera. Mangiò, servito dalle due mani volanti, andò a letto, s'addormentò. Si svegliò allo schiamazzo: molte mani lo ripresero dal letto, sollevarono le lenzuola, cominciarono il gioco, più furenti della sera innanzi.

– Non vuole svegliarsi!

– Se non si sveglia siamo perduti!...

Allora le mani lo sbalzarono un'ultima volta, appiccandolo ad un chiodo delle travi. E disparvero sibilando.

Aquilino aprì gli occhi, vide la lepre d'argento. Aveva ormai tutto il corpo di donna; solo la testa restava di lepre e lo guardava con dolci occhi umani.

– Povero principe! Soffrite per amor mio ancora una notte e saremo salvi.

Giunse la terza notte. Riapparvero le mani più furibonde che mai.

– Si gioca?

– Giochiamo!

– Ma questa notte dobbiamo finirlo!

– Dobbiamo finirlo!

E cominciò il rimbalzello crudele.

Aquilino giungeva al soffitto, picchiava, restava aderente come una tartina di pasta, ricadeva nel lenzuolo teso, rimbalzava ancora tra le risa infernali. E non apriva gli occhi per amore di Nazzarena.

– Non si sveglia! Siamo perduti!

– Siamo perduti!

– È l'alba! Siamo perduti!

Le mani furibonde s'appressarono alla finestra, tesero le lenzuola, sbalzarono Aquilino ad un'altezza vertiginosa. Egli salì, salì, cadde, cadde per dieci minuti, picchiò sull'erba, si tastò le ossa peste, aprì gli occhi, ancora vivo. Si trovava ai piedi dell'albero incantato.

Presso di lui stava la sua vera fidanzata Nazzarena, bella d'una bellezza mai più vista. E aveva il suo seguito di carrozze, di dame, di cavalieri liberati con lei dal malefizio del mago.

Il principe li condusse al suo castello, adunò tutta la Corte nella sala del Gran Consiglio, fece condurre il gobbo barbuto e la figliuola laida, e rivoltosi ai ministri disse:

– Avevo ordinato un cofano d'oro e di gemme; un malandrino me lo tolse strada facendo e lo sostituì con un altro di legno tarlato. Fortuna vuole che io ritrovi il primo. A quale darò la preferenza?

– Al primo! – sentenziò la Corte.

– E del ladro e del cofano tarlato che dovrò farne?

– Bruciarli sulla stessa catasta!

Così fu fatto. E la sentenza e le nozze ebbero luogo fra gli applausi di tutto il popolo.

NONSÒ

C'era una volta un Principe che ritornando dalla caccia vide nella polvere, sul margine della via, un bimbo di forse otto anni che dormiva tranquillo. Scese da cavallo, lo svegliò:

– Che fai qui, piccolino?

– Non so – rispose quegli, fissandolo senza timidezza.

– E tuo padre?

– Non so.

– E tua madre?

– Non so.

– Di dove sei?

– Non so.

– Qual è il tuo nome?

– Non so.

Preso il bimbo in groppa, il Principe lo portò al suo castello e lo consegnò alla servitù, perché ne avesse cura.

E gli fu dato il nome di Nonsò.

Quando ebbe vent'anni, il Principe lo prese per suo scudiero. Un giorno passando in città gli disse:

– Sono contento di te e voglio regalarti un cavallo magnifico, per tuo uso particolare.

Andarono alla fiera. Nonsò esaminava gli splendidi cavalli, ma nessuno gli piaceva e se ne andarono senza aver nulla comperato. Passando dinanzi ad un mulino videro una vecchia giumenta quasi cieca, che girava la macina. Nonsò guardò attentamente la bestia e disse:

– Signore, quello è il destriero che mi abbisogna!

– Tu scherzi!

– Signore, compratemelo e ne sarò felice.

Il Principe si sdegnò quasi, poi vedendo Nonsò supplicante, cedette alle sue preghiere e comperò la giumenta. Il mugnaio, consegnando la bestia a Nonsò, gli disse all'orecchio:

– Vedete questi nodi nella criniera della cavalla? Ogni volta che ne sfarete uno, essa vi porterà sull'istante a cinquecento leghe lontano.

Ritornarono a casa.

Pochi giorni dopo il Principe venne invitato dal Re, e Nonsò fu ospite col suo signore nel palazzo reale. Una notte di plenilunio passeggiava nel parco e vide appesa ad un albero una collana di diamanti che scintillava alla luna.

– Prendiamola, dunque... – disse ad alta voce.

– Guardati bene o te ne pentirai! – fece una voce ignota e vicina.

Si guardò intorno. Chi aveva parlato era il suo cavallo. Esitò un poco, ma poi si lasciò vincere dal desiderio e prese la collana.

Il Re aveva affidato a Nonsò la cura di alcuni suoi cavalli e di notte egli illuminava la sua scuderia con la collana sfavillante. Gli altri staffieri, gelosi di lui, cominciarono ad insinuare che nella scuderia di Nonsò splendeva una luce sospetta, che egli si dava a stregonerie misteriose. Il Re volle spiarlo; e una notte, entrando di subito nella scuderia, vide che la luce veniva dalla collana abbagliante, appesa ad una mangiatoia. Fece arrestare il giovane e convocò i saggi della capitale perché decifrassero una parola scritta sul fermaglio della collana. Uno studioso decrepito scoperse che il monile era della Bella dalle Chiome Verdi, la principessa più sdegnosa del mondo.

– Bisogna che tu mi conduca la principessa dalle Chiome Verdi – disse il Sovrano – o non c'è che la morte per te.

Nonsò era disperato.

Andò a rifugiarsi dalla vecchia giumenta e piangeva sulla sua magra criniera.

– Conosco la causa del tuo dolore – gli disse la bestia fedele, – è venuto il giorno del pentimento per la collana presa contro mio consiglio. Ma fa' cuore ed ascoltami. Chiedi al Re molta avena e molto danaro, e mettiamoci in viaggio.

Il Re diede avena e danaro e Nonsò si mise in viaggio con la sua cavalla sparuta. Arrivarono al mare. Nonsò vide un pesce prigioniero fra le alghe.

– Libera quel poveretto! – gli consigliò la cavalla.

Nonsò ubbidì, e il pesce, emergendo con la testa sull'acqua, disse:

– Tu mi hai salvata la vita e il tuo benefizio non sarà dimenticato. Se tu abbisognassi di me, chiamami e verrò.

Poco dopo videro un uccello preso alla pania.

– Libera quel poveretto! – gli consigliò la giumenta.

Nonsò ubbidì e l'uccello disse:

– Grazie, Nonsò; quando ti sia necessario, chiamami e saprò sdebitarmi.

Giunsero dinanzi al castello della principessa.

– Entra – disse la giumenta – e non temere di nulla. Quando vedrai la Bella, invitala ad accompagnarti qui. Io danzerò per lei danze meravigliose.

Nonsò bussò al palazzo. Aprì una dama bellissima, ch'egli prese per la principessa in persona.

– Principessa...

– Non son io la principessa.

E l'accompagnò in un'altra sala dove l'attendeva una fanciulla più bella ancora.

E questa a sua volta l'accompagnò in una sala attigua da una compagna più bella di lei; e così di sala in sala, da una dama all'altra, sempre più bella, per abituare gli occhi di Nonsò alla bellezza troppo abbagliante della Bella dalle Chiome Verdi.

Questa lo accolse benevolmente, e dopo un giorno accondiscese a vedere la giumenta danzatrice.

– Saltatele in groppa, principessa, ed essa danzerà con voi danze meravigliose.

La Bella, un poco esitante, ubbidì.

Nonsò le balzò accanto, sciolse uno dei nodi della criniera e si trovarono di ritorno dinanzi al palazzo del Re.

– M'avete ingannata – gridava la principessa, – ma

non mi do per vinta, e prima d'essere la sposa del Re vi farò piangere più d'una volta...

Nonsò sorrideva soddisfatto.

– Sire, eccovi la Bella dalle Chiome Verdi!

Il Re fu abbagliato di tanta bellezza e voleva sposarla all'istante.

Ma la principessa chiese che le si portasse prima una forcella d'oro tempestata di gemme che aveva dimenticato nello spogliatoio del suo castello.

E Nonsò fu incaricato dal Re della ricerca, pena la morte. Il giovane non osava ritornare al castello della Bella dalle Chiome Verdi, dopo il rapimento, e guardava la sua giumenta, accorato.

– Ti ricordi – disse questa – d'aver salvata la vita all'uccello impaniato? Chiamalo e t'aiuterà.

Nonsò chiamò e l'uccello comparve.

– Tranquillati, Nonsò! La forcella ti sarà portata.

E adunò tutti gli uccelli conosciuti, chiamandoli a nome. Comparvero tutti, ma nessuno era abbastanza piccolo per entrare dalla serratura nello spogliatoio della Bella. Vi riuscì finalmente il reattino, perdendovi quasi tutte le penne, e portò la forcella al desolato Nonsò. Nonsò presentò la forcella alla principessa.

– Al presente – disse il Re – voi non avete più motivo per ritardare le nozze.

– Sire, una cosa mi manca ancora e senza di essa non vi sposerò mai.

– Parlate, principessa, e ciò che vorrete sarà fatto.

– Un anello mi manca, un anello che mi cadde in mare, venendo qui...

Venne ingiunto a Nonsò di ritrovare l'anello, e quegli si mise in viaggio con la giumenta fedele. Giunto in riva al mare chiamò il pesce e questo comparve.

– Ritroveremo l'anello, fatti cuore!

E il pesce avvertì i compagni; la notizia si sparse in un attimo per tutto il mare e l'anello venne ritrovato poco dopo, tra i rami d'un corallo.

La principessa dovette acconsentire alle nozze.

Il giorno stabilito s'avviarono alla cattedrale con gran pompa e cerimonia.

Nonsò e la cavalla seguivano il corteo regale ed entrarono in chiesa con grave scandalo dei presenti.

Ma quando la cerimonia fu terminata, la pelle della giumenta cadde in terra e lasciò vedere una principessa più bella della Bella dalle Chiome Verdi. Essa prese Nonsò per mano:

– Sono la figlia del Re di Tartaria. Vieni con me nel regno di mio padre e sarò la tua sposa.

Nonsò e la principessa presero congedo dagli astanti stupefatti, né più se n'ebbe novella.

LA LEGGENDA DEI SEI COMPAGNI

C'era una volta un vecchio signore, senza più fortuna, che aveva tre figli. Il primogenito disse un giorno al padre:

– Voglio mettermi pel mondo, alla ventura.

– Sia come tu vuoi – disse il padre, – ma non posso darti più di dieci scudi.

– È poco, ma farò che mi bastino.

Desiderio prese i dieci scudi e partì.

Giunto in città vide un uomo che gridava per le vie un bando del Re. Il Re cercava chi sapesse costruirgli una nave che andasse per mare e per terra. Ricompensa: la mano della principessa.

– Voglio tentare – disse Desiderio, e si propose al banditore.

Fu condotto alla reggia e all'indomani gli fu data un'accetta per abbattere il legno necessario all'impresa.

Lavorò tutto il mattino, e a mezzodì sedette all'ombra d'un vecchio castagno, per mangiare il suo tozzo di pane.

Una gazza lo guardava curiosa, scendendo di ramo in ramo. Ella diceva nel suo roco cicaleccio:

– Un briciolo anche a me! Un briciolo anche a me!

E protendeva il becco verso le mani di Desiderio, supplicando.

– Lasciami in pace, bestia importuna! – gridò Desiderio impaziente.

La gazza risalì di due rami.

– Che lavoro stai facendo?

– Dei cucchiai, se ti piace! – le rispose Desiderio, beffandola.

– Cucchiai! Cucchiai! – gridò la gazza, risalendo di ramo in ramo.

E disparve.

Terminato il pasto, Desiderio si rimise all'opera, ma ad ogni colpo staccava dall'albero una scheggia in forma di rozzo cucchiaio. E non gli riusciva di far altro. Tentò e ritentò, poi capì di essere vittima di qualche incantesimo.

– Quella gazza dannata mi ha stregato l'accetta!

Gettò via lo stromento e fece ritorno alla casa paterna.

– Già di ritorno, figlio mio? – gli disse il padre.

– Sì. Ho pensato che la vita con voi, nella mia casa, era preferibile a qualunque avventura.

E tacque del bando, e della gazza misteriosa.

Saturnino, il secondogenito, volle partire a sua volta.

Il padre non gli diede che cinque scudi.

Giunto in città s'incontrò col banditore e volle tentare l'impresa. Si propose al banditore, e dopo aver lavorato tutto un mattino si sedette ai piedi del castagno centenario, sbocconcellando il suo pane.

Ed ecco la gazza scendere di ramo in ramo:

– Un briciolo anche a me! Un briciolo anche a me!

– Lasciami in pace, bestia importuna!

E come la gazza si protendeva agitando le ali, Saturnino la minacciò con la mano.

La gazza risalì tra i rami.

– Che fai tu qui?

– Grucce per le tue gambe, gazza curiosa! – gli rispose il giovane beffandola.

– Grucce! Grucce per le mie gambe! – gridò l'uccello risalendo tra le fronde.

E disparve.

Quando Saturnino riprese il lavoro, ad ogni colpo che dava nel legno non riusciva che a staccarne schegge in forma di grucce minuscole.

– Eccomi segno della magia di quell'uccellaccio.

Saturnino gettò l'accetta e riprese deluso la via del ritorno.

Gentile, il terzogenito, un fanciullo pallido e taciturno, volle tentare a sua volta la sorte.

– E tu speri di vincere – disse il padre – là dove furono sconfitti i tuoi fratelli maggiori?

– Il destino può essermi benigno. Lasciami partire.

Gentile va in città, ode il bando, si propone al banditore. Ed eccolo nella foresta, dopo un mattino di lavoro, che sbocconcella il suo pane sotto il castagno venerando.

– Un briciolo anche a me! Un briciolo anche a me!

Alzò gli occhi e vide la gazza protesa verso di lui.

– Avrai la tua parte, povera bestiola!

E sminuzzò il pane e lo gettò sull'erba. La gazza, mangiando, lo interrogava:

– Che stai facendo qui?

E Gentile narrò i casi suoi e il bando e il tentativo.

– Buona fortuna e bella nave! – gridò la gazza risalendo di ramo in ramo.

– Che Dio t'ascolti!

Gentile si rimise all'opera e ad ogni colpo d'accetta che dava nei tronchi, egli staccava un pezzo della nave già lavorato e scolpito per incanto. E le varie parti s'attiravano, s'univano fra di loro come se fossero calamitate.

– Ecco l'aiuto di qualche magia favorevole! – pensava Gentile, esultando.

Prima del tramonto la nave prodigiosa era pronta, ed egli vi salì, prendendone il timone e dirigendola attraverso i campi, i fiumi, le valli, i laghi, fra lo sbigottimento dei contadini.

A mezza via incontrò un uomo che rodeva un osso.

– Che stai facendo? – gli domandò Gentile.

– Muoio di fame!

– Sali con me e avrai di che sfamarti.

E l'uomo salì sulla nave.

Poco più lungi incontrarono un altro uomo presso una fontana.

– E tu che stai facendo?

– Ho prosciugata, col bere, tutta questa sorgente, ed ora attendo che si riempia, perché ho ancora sete.

– Sali con me e avrai di che dissetarti.

E il bevitore prodigioso salì sulla nave.

Non molto lontano incontrarono un altro individuo che aveva una pietra da macina a ciascun piede e che correva tuttavia come un daino.

– Che significa questo? – gli chiese Gentile.

– Voglio prendere una lepre che deve passare di qui.

– E tu, imbecille, ti leghi una pietra da macina alle gambe?

– Sì, perché corro troppo in fretta, e nonostante le pietre da macina alle gambe, avanzo sempre di qualche miglio la lepre da prendere.

– Questa è buffa! Vuoi salire sulla nave con noi?

Anche il corridore insuperabile salì sulla nave.

Verso il tramonto incontrarono un altro individuo che teneva in mano un arco teso e fissava un oggetto invisibile per loro.

– Uomo dell'arco, che stai fissando?

– Prendo di mira una lepre che vedo lassù, su quella montagna.

– Tu ci vuoi beffare...

In quel momento la freccia partì e l'uomo disse:

– Ecco... L'ho uccisa... Ma di qui alla montagna ci sono sette miglia e temo che altri passi e se la prenda.

– Presto, Primosempre – disse Gentile – corri e vedi se la lepre è uccisa o se costui è un fanfarone...

Primosempre partì e ritornò poco dopo con la lepre.

– Sei un arciere insuperabile – disse Gentile, rivolgendosi ad Occhiofino. – Vieni con noi e dividi le nostre avventure.

Occhiofino salì sulla nave che proseguì il cammino.

Poco dopo s'incontrarono in un altro sconosciuto, con l'orecchio applicato contro la terra.

– Che stai facendo? – gli chiese Gentile.

– Ieri ho seminato dell'avena e l'ascolto crescere...

– Che udito fine! – disse Gentile. – Se tu vuoi, sali sulla nave; credo che sei compagni come noi possono far grandi cose.

Eccoli dunque in sei sulla nave prodigiosa: Gentile, Mangiatutto, Bevitutto, Occhiofino, Finorecchia, Primosempre. La nave si mise in cammino e giunse trionfale in città, fra i cittadini sbigottiti e festanti.

Gentile scese dinanzi alla reggia e si presentò al Re.

– Maestà, eccovi servita. Vostra figlia è mia.

Il Re ammirava la nave, ma gli pesava concedere la figlia a quel poveretto randagio.

– Questo non basta, figliuolo. Prima di aver la sua mano si devono soddisfare altre prove ancora...

– Accetto le nuove prove.

– Sta bene – disse il Re. – Io ho dunque nelle mie stalle cinquanta buoi, e occorre che tu, o uno dei tuoi compagni, li mangi da solo in otto giorni.

– Tenteremo, Sire.

Gentile affidò l'impresa a Mangiatutto e quattro giorni dopo le stalle erano vuote.

Il Re era contrariato d'aver perduto la prova e le bestie.

– Non basta – disse a Gentile. – Dopo il pasto bisogna bere; ho nelle mie cantine cinquanta botti di vino inacidito. Tu, o uno dei tuoi compagni deve berlo da solo, in otto giorni.

– Bevitutto, questo è affar tuo.

E in otto giorni le cantine erano vuote.

– Chi è, dunque, costui e i suoi compagni? – pensava il Re inquieto, e non sapeva come disfarsene.

Uno dei ministri lo consigliò.

– Maestà, voi avete nella vostra cucina un cuoco insuperabile alla corsa. In cinque minuti va ad attingere acqua a dieci miglia di qui, e ritorna con gli otri pieni. Proponete allo sconosciuto una gara con lui.

Il Re fece chiamare Gentile e gli propose la gara.

– Sarà fatto – rispose Gentile, e delegò la cosa a Primosempre.

All'indomani il cuoco e Primosempre partirono insieme e questi giunse assai per tempo alla fontana, con grande ira del cuoco, che si credeva insuperabile alla corsa. Mentre si riposavano sull'erba, dopo aver riempito gli otri, il cuoco, che s'intendeva anche di magia, addormentò Primosempre col fissarlo a lungo; e partì con gli otri, dopo avergli deposte due pietruzze verdi sulle palpebre, perché non si svegliasse.

Ma Finorecchia era in ascolto e informava gli amici di quanto accadeva lontano.

– Finorecchia, che stanno facendo?

– Il cuoco e Primosempre si sono seduti ansanti e conversano presso la fontana. Primosempre s'addormenta, e russa forte. Il cuoco ritorna di corsa verso la reggia.

– Occhiofino, guarda e dacci notizia.

– Il cuoco è a mezza via e Primosempre dorme supino, con due pietruzze sugli occhi.

– Prendi il tuo arco – ordinò Gentile – e togli da gli occhi di Primosempre le pietruzze malefiche, perché si svegli. Bada di non ferirlo!

L'arciere prodigioso tese l'arco e sbalzò le pietre dalle palpebre del compagno addormentato.

Questi si svegliò con un sussulto, prese gli otri, e partì con tale velocità che arrivò prima ancora del cuoco, fra lo stupore del Re e dei cortigiani.

– Sia dunque – disse il Re, vinto ormai. E rivolgendosi verso Gentile: – Amo meglio aver per genero che per nemico un uomo della tua abilità.

Le nozze splendide ebbero luogo nella settimana. E Primosempre, Mangiatutto, Bevitutto, Finorecchia, Occhiofino furono fatti ministri.

LA CAMICIA DELLA TRISAVOLA

Quando (il tempo non ricordo!)
cani, gatti, topi a schiera
ben si misero d'accordo,
c'era, allora, c'era... c'era...

... un orfano detto Prataiolo, tardo e trasognato, tenuto da tutti per un mentecatto. Prataiolo mendicava di porta in porta ed era accolto benevolmente dalle massaie e dalle fantesche, perché tagliava il legno, attingeva al pozzo; e quelle lo compensavano con una ciotola di minestra. Ma quando Prataiolo compì i diciott'anni, il vicinato cominciò ad accoglierlo meno bene ed a rimproverargli il suo ozioso vagabondare. Tanto che egli decise di lasciare il paese e di mettersi pel mondo alla ventura.

Andò a salutare la sua sorella di latte, Ciclamina, e questa gli disse:

– Voglio darti una piccola cosa, per mio ricordo. Non sono ricca e non posso fare gran che. Aggiungerò al tuo fardello una logora camicia della mia trisavola, che era negromante.

Prataiolo non poté nascondere un sorriso di delusione.

– Non sdegnare il mio dono, o Prataiolo. Ti sarà più utile che tu non pensi. Ti basterà distendere la camicia per terra e comandare ciò che vorrai: e ciò che vorrai sarà fatto.

Prataiolo prese il dono, abbracciò la sorella, e partì. Verso sera sentiva appetito e trovandosi senza provviste e senza denaro, cominciava ad inquietarsi, perché aveva ben poca fiducia nella tela miracolosa.

Volle provare, tuttavia; la distese in terra e mormorò:

– Camicia della trisavola, vorrei un pollo arrosto!

Ed ecco disegnarsi a poco a poco l'ombra di un pollo, leggiera dapprima e trasparente, poi più densa e concreta, solida e dorata come un pollo naturale. E un profumo delizioso si diffondeva intorno.

Prataiolo non osava toccarlo, temendo un maleficio. Poi si chinò, lo palpò, ne strappò un'ala, la portò alla bocca.

Era un pollo autentico e squisito. Ordinò allora una torta allo zibibbo, un piatto di pesche, una bottiglia di Cipro.

E tutto si disegnava leggiero, si concretava a poco a poco sulla camicia miracolosa.

Prataiolo mangiava tranquillo, seduto sull'erba, quando vide sulla strada maestra un mendicante che lo fissava muto e supplichevole.

– Posso offrirti, compagno?

Il vecchio non si fece pregare e divise il banchetto con lui.

Ma quando vide la comparsa meravigliosa delle portate, pregò il ragazzo di donargli la tela magica.

– Ti darò questo mio bastone in compenso.

– E che vuoi che ne faccia?

– Se tu sapessi la virtù di questo mio bastone, accetteresti con gioia. Contiene mille piccole celle ed ogni cella racchiude un cavaliere armato e un cavallo bardato di tutto punto. Ogni volta che avrai bisogno d'aiuto ti basterà comandare: « Fuori l'armata! ».

Prataiolo aveva sempre sognato d'essere generale e non poté resistere a quella tentazione: accettò il cambio e si mise in cammino. Ma dopo poche ore era già pentito.

– Ho fame e non ho più la mia camicia! A che può giovarmi un'armata quando lo stomaco è vuoto?

L'appetito cresceva e per distrarsi egli puntò in terra il bastone e comandò:

– Fuori l'armata!

Ed ecco un fruscìo dal di dentro, poi aprirsi nel legno tante piccole finestre e da ogni finestra uscir fuori un cosino minuscolo come un'ape; poi crescere in pochi secondi, crescere, formare all'intorno una muraglia di cavalli scalpitanti e di cavalieri armati.

Prataiolo guardava trasognato.

– Che cosa comandate, signor generale?

Egli ebbe un'idea.

– Che mi sia riportata la camicia della trisavola!

L'armata partì di gran galoppo, sparve all'orizzonte, e poco dopo era di ritorno con la tela miracolosa.

– L'armata rientri in caserma!...

Prataiolo puntò il bastone in terra. Cavalli e cavalieri presero a rimpicciolire, in pochi secondi ritornarono minuscoli come api, rientrarono nelle cellette che si rinchiusero sul legno senza lasciar traccia.

Prataiolo era felice.

Riprese la via e giunse ad un mulino.

Il mugnaio era sulla soglia e suonava il flauto: la moglie e i suoi nove figli danzavano intorno. Prataiolo sentì che avvicinandosi gli cresceva una voglia irresistibile di muover le gambe; poi fu costretto da una forza ignorata a ballare con gli altri ballerini.

Sentiva intanto la moglie del mugnaio che danzando gridava furibonda al marito:

– Basta! Basta! Uomo senza cuore! Dacci del pane invece che costringerci a ballare!

Poi rivolgendosi a Prataiolo che ballava con loro:

– Vedete? Questo mascalzone di marito, quando lo si prega di sfamarci, prende il suo flauto dannato e ci costringe a ballare!

Il mugnaio, quando gli piacque, smise di suonare e la moglie, i figli, Prataiolo caddero sfiniti dalla ridda vertiginosa. Prataiolo, riprese le forze, distese la camicia della trisavola e comandò un pranzo magnifico. Invitò il mugnaio e la sua famiglia sbigottita a dividere il pasto. Quelli non si fecero pregare, e giunti alle frutta il mugnaio disse:

– Cedimi la camicia ed io ti do il mio flauto.

Prataiolo accettò il cambio, già sicuro di ciò che doveva fare poco dopo.

Giunto, infatti, a dieci miglia dal paese, spedì i mille cavalieri che gli riportarono la tela.

– Ed eccomi ora possessore della camicia, del bastone, del flauto magico... Non posso desiderare di più.

Arrivò verso sera in una città e vide grandi annunci a vivi colori. Si accordava la mano della figlia del Re a chi sapeva guarirla della sua insanabile malinconia.

Prataiolo si presentò subito alla Reggia. Il Re dava quella sera un banchetto di gala agli ambasciatori del Gran Sultano, ma, udita la profferta dello sconosciuto, lo fece passare all'istante. Prataiolo entrò nella sala immensa, e fu abbagliato dallo sfolgorio degli ori e delle gemme.

Sedevano a mensa più di cinquecento persone, con a capo il Re, la Regina e la Principessa, bella ed assorta, pallida come un giglio.

Prataiolo fece legare da un servo le gambe della Principessa, senza che i commensali se n'avvedessero, poi si rifugiò in un angolo e cominciò le prime note. Ed ecco un agitarsi improvviso fra i commensali, un fremere di gambe e di ginocchia... Poi tutti s'alzano d'improvviso, scostano le sedie, cominciano a ballare guardandosi l'un l'altro, spaventati.

Principi, baroni, ambasciatori panciuti, baronesse pingui e venerabili, servi e coppieri, e financo i veltri, i pavoni, i fagiani farciti nei piatti d'oro, tutti si animarono, cominciarono a ballare la danza irresistibile.

– Basta! Basta! Per pietà! – gridavano i più vecchi e i più pingui.

– Avanti! Avanti ancora! – dicevano i più giovani, tenendosi per mano.

La Principessa, legata alla sua sedia, tentava anch'essa d'alzarsi e guardava gli altri, e rideva giubilante. Quando piacque a Prataiolo, il suono cessò e i cinquecento ballerini caddero sfiniti sulle sedie e sui tappeti, le dame senza scarpette e senza parrucca. La Principessa rise per un'ora e quando poté parlare disse al Re:

– Padre mio, costui mi ha risanata ed io sono la sua sposa.

Il Re acconsentì, ma Prataiolo esitava.

– Ho lasciata al paese la mia sorella di latte, bella come il sole e alla quale devo la mia fortuna; vorrei farvela conoscere.

– Partite, dunque, e portatela fra noi – dissero i commensali.

I mille cavalieri comparvero, occupando la sala immensa, fra lo stupore generale.

– Mi sia portata Ciclamina, la mia piccola sorella –. E l'armata attraversò la Reggia, le sale, gli scaloni, con gran fragore. Poco dopo era di ritorno con la sorella Ciclamina. La fanciulla fu trovata così bella, che un ambasciatore se ne innamorò all'istante.

E in uno stesso giorno furono celebrate le doppie nozze.

LA CAVALLINA DEL NEGROMANTE

C'era una volta un pover'uomo rimasto vedovo, con un figlio chiamato Candido; egli possedeva per tutta fortuna un campicello e tre buoi. Candido, che era un bimbo sveglio e intelligente, giunto agli otto anni disse al padre:

– Vorrei andare a scuola...

– Non ho danaro sufficiente, figlio mio!

– Vendete uno dei buoi.

Il padre restò pensoso, poi si decise. Alla fiera seguente vendette uno dei buoi e col danaro ricavato mandò Candido alla scuola.

Candido imparava rapidamente e i maestri erano sbigottiti della sua intelligenza.

Quando seppe leggere e scrivere, decise di mettersi pel mondo alla ventura. Si vestì d'un abito nero da un lato, bianco dall'altro e si mise in cammino. Per via incontrò un signore a cavallo:

– Dove vai, ragazzo mio?

– A cercar lavoro.

– Sai leggere?

– Leggere e scrivere.

– Allora non fai per me – e il signore proseguì la

via. Candido restò sbigottito, poi si tolse l'abito, lo vestì a rovescio, corse attraverso i campi fino a trovarsi una seconda volta sulla strada dello sconosciuto; questi non lo riconobbe:

– Dove vai, ragazzo mio?

– A cercar lavoro.

– Sai leggere?

– Né leggere né scrivere.

– Sta bene. Sali in groppa, dietro di me.

Candido salì sul cavallo dello sconosciuto e dopo molti giorni di cammino giunsero ad un castello circondato da mura altissime. Nessuno venne a riceverli; discesero nel cortile deserto e il signore condusse egli stesso il suo cavallo alla scuderia; poi disse a Candido:

– Non vedrai qui dentro persona viva; ma non t'inquietare; avrai ogni cosa che ti talenta e un lauto stipendio.

– Quali sono le mie incombenze, signoria?

– Dovrai aver cura dei cavalli che ho nelle mie scuderie, non altro. Oggi devo partire per un viaggio lunghissimo, e non ritornerò che fra un anno e un giorno: il mio castello è nelle tue mani. Addio!

Il barone partì.

Candido, rimasto solo, curava diligentemente i cavalli. Quattro volte al giorno trovava la mensa imbandita nella vasta sala da pranzo, senza mai vedere anima viva né udir voce umana; mangiava, beveva, passeggiava per le sale e pel parco. Un giorno vide tra gli alberi trasparire una veste azzurra: era una fanciulla bellissima che fuggiva verso le scuderie.

Candido la raggiunse e la principessa si rivolse a lui con volto supplichevole.

– Sono uno dei cavalli che voi avete in custodia: un pomellato bianco, il terzo a destra di chi entra. Sono figlia del Re di Corelandia e il barone negromante m'ha cangiata in cavallo perché non lo volli per marito... Se il barone, al suo ritorno, sarà contento dei vostri servigi, per ricompensarvi vi dirà di scegliere uno dei cavalli; e voi scegliete me, non avrete a pentirvene.

Candido promise e si diede a leggere i libri del barone e apprese i segreti della negromanzia. Dopo un anno il barone era di ritorno al castello.

– Sono soddisfatto dei tuoi servigi, e poiché l'anno è passato, eccoti una borsa di monete d'oro. Vieni nelle scuderie, dove potrai sceglierti un cavallo pel tuo ritorno al paese.

Scesero nelle scuderie e Candido, dopo aver finto qualche esitazione, indicò il pomellato bianco.

– Scelgo quello.

– Come? Quella rozza? Non sei veramente buon intenditore; guarda i magnifici cavalli che le son vicini!

– Mi piace quella e non ne voglio altri.

– Sia pure – disse il barone; e pensò: « Servo scaltro! Deve conoscere il mio segreto; ma lo saprò raggiungere a mezza via! ».

Candido prese la cavallina pomellata e partì. Appena fuori del castello, essa riapparve nelle forme della principessa.

– Grazie, amico mio. Ritorna presso tuo padre, ed io ritorno alla Corte di Corelandia, dove tu dovrai trovarti fra un anno e un giorno.

E disparve.

Candido si diresse al paese natìo. Giunse dopo molti giorni alla capanna e si gettò nelle braccia del padre, che stentava a riconoscerlo.

– Siamo ricchi, padre mio, e bisogna goderci il nostro danaro!

E gli presentò la borsa e incominciarono pei due giorni di felicità ed agiatezza. Ma, poiché tutto ha una fine, anche il gruzzolo giunse all'ultimo scudo.

– Figlio mio, siamo ritornati alla miseria di prima!

– Non inquietatevi! Domattina andremo alla fiera per vendere un magnifico cavallo.

– Un cavallo? Dove lo posso prendere?

– Poco importa: domattina l'avrete e ne riceverete trecento scudi; ma badate di non cedere la briglia al compratore.

– La briglia si cede con la bestia – osservò il vecchio.

– Non lasciate la briglia, vi ripeto, o mi esporrete ad un pericolo irreparabile.

– Sta bene, la riporterò a casa, benché non sia costume.

All'indomani il vecchio udì nitrire alla porta e vi trovò un magnifico cavallo; ma cercò invano suo figlio perché l'accompagnasse:

« Mi avrà forse già preceduto al mercato ». E si mise

in cammino. Giunto in paese non trovò suo figlio e fu circondato subito dai compratori.

– Bello il vostro cavallo. Quanto volete?

– Trecento scudi e la briglia per me.

– Facciamo duecentocinquanta.

– Non cedo d'un soldo!

S'avanzò un mercante sconosciuto dai capelli rossi e dagli occhi di brace (era il barone travestito) che fece l'offerta:

– È caro. Ma la bestia mi piace e non mercanteggio. Datemi la briglia ch'io lo possa condurre.

– La briglia non la cedo a nessun patto.

– Allora non ne facciamo nulla.

E lo sconosciuto s'allontanò minaccioso.

Il cavallo fu venduto a un carrettiere che non pretese la briglia; condusse la bestia per la criniera e la chiuse con altri cavalli nella sua scuderia. Ma all'alba il cavallo non c'era più. Era Candido che, grazie ai segreti appresi nei libri magici, s'era trasformato in cavallo, poi in uomo ancora, per ritornarsene dal padre. Padre e figlio godettero i trecento scudi e vissero lieti per molti giorni.

Giunti all'ultima moneta, Candido disse:

– Non c'è più danaro. L'altra volta mi trasformai in cavallo nero, domattina mi trasformerò in cavallo bianco e mi porterete al mercato; ma badate bene di non cedere la briglia, o tutto è finito per me.

All'alba il vecchio sentì nitrire nel cortile, e vide un cavallo bellissimo, candido come la neve. Lo prese per la briglia e si diresse al mercato.

I compratori circondarono la bestia; s'avanzò il mercante sconosciuto, dai capelli rossi e dagli occhi fiammeggianti.

– Bella bestia, la vostra; quanto volete?

– Cinquecento scudi.

– Sono troppi. Ma ve li do. Lasciatemela prima provare.

E lo sconosciuto salì in sella, cacciò gli speroni nei fianchi della bestia che fuggì di galoppo, lasciando il povero vecchio senza cavallo e senza briglia.

Giunto dinanzi a un maniscalco lo sconosciuto scese di groppa, entrò nella fucina:

– Maniscalco, il mio cavallo non è ferrato. Fategli all'istante quattro ferri di quattrocento libbre ciascuno.

– Quattrocento libbre? Voi scherzate, signore!

– Non scherzo, eseguite senza commenti e sarete ben pagato.

Mentre il barone e l'uomo parlavano, il cavallo era stato legato ad un anello del muro. Alcuni bimbi gli furono intorno e presero a tormentarlo.

– Staccatemi, bambini belli!

– Un cavallo che parla! – e i piccoli esultarono di gioia.

– Che dice dunque?

– Dice di staccarlo.

– Sì, staccatemi, bambini, e vi divertirò con un bel giuoco.

Il più alto e il più audace staccò il cavallo, che si convertì subito in lepre e disparve nei campi. Il barone uscì dalla fucina col maniscalco.

– Dov'è il mio cavallo?

– S'è mutato in lepre ed è fuggito attraverso i campi.

Il barone negromante si mutò in cane e si precipitò sulle sue tracce.

Candido, incalzato da presso, si mutò in airone e il negromante lo seguì nell'aria sotto forma d'uno sparviero, e giunsero così nella capitale della Corelandia; lo sparviero stava per ghermire l'airone quando questo si mutò in un anello e infilò il dito della principessa che sospirava alla finestra del castello.

Il negromante riprese la sua forma umana e si presentò a palazzo per offrire le sue cure al Re, che era sofferente d'un morbo insanabile.

– Prometto di guarirvi, Sire; ma ad un patto.

– Domandate e qualsiasi pretesa vostra sarà appagata.

– Voglio l'anello d'oro che porta in dito vostra figlia.

– Questo soltanto, volete? Io son disposto a ben altro!

– Non domando altro, Maestà.

Intanto la principessa aveva chiuse le finestre e stava togliendosi gli anelli; quando si tolse quello d'oro le apparve Candido sorridente.

– Oh Candido! Come siete qui?

Candido narrò i casi suoi:

– Il negromante è nel castello ed ha promesso a vostro padre di guarirlo a patto gli sia dato il vostro anello; voi acconsentite, ma nell'atto di passarlo al dito del

negromante, lasciatelo cadere in terra e tutto sarà per il meglio.

La principessa promise.

All'indomani il vecchio Re fece chiamare la figlia nella sala del trono e le presentò il negromante travestito da medico.

– Figlia mia, questo medico famoso non domanda, per rendermi la salute, che il tuo anello d'oro.

– Acconsento – disse la principessa, e fece atto di passare l'anello al dito del negromante, ma lo lasciò cadere ad arte sul pavimento.

L'anello si cangiò in fava e il negromante in gallo, per inghiottirla, ma la fava si cangiò in volpe e divorò il gallo.

Candido riprese la sua forma di prima, dinanzi a tutta la Corte sbigottita del prodigio.

La principessa presentò al padre il suo liberatore e quel giorno stesso furono celebrate le nozze.

NEVINA E FIORDAPRILE

Quando il sughero pesava
e la pietra era leggera
come il ricciolo dell'ava
c'era, allora, c'era... c'era...

... una principessa chiamata Nevina che viveva sola col padre Gennaio.

Lassù, nel candore perpetuo, abbagliante, inaccessibile agli uomini, il Re Gennaio preparava la neve con una chimica nota a lui solo; Nevina la modellava su piccole forme tolte dagli astri e dagli edelweiss, poi, quando la cornucopia era piena, la vuotava secondo il comando del padre ai quattro punti dell'orizzonte. E la neve si diffondeva sul mondo.

Nevina era pallida e diafana, bella come le dee che non sono più: le sue chiome erano appena bionde, d'un biondo imitato dalla Stella Polare, il suo volto, le sue mani avevano il candore della neve non ancora caduta, l'occhio era cerulo come l'azzurro dei ghiacciai.

Nevina era triste.

Nelle ore di tregua, quando la notte era serena e

stellata e il padre Gennaio sospendeva l'opera per dormire nell'immensa barba fluente, Nevina s'appoggiava ai balaustri di ghiaccio, chiudeva il mento tra le mani e fissava l'orizzonte lontano, sognando.

Una rondine ferita che valicava le montagne, per recarsi nelle terre del sole, era caduta nelle sue mani, che avevano tentato invano di confortarla; nei brividi dell'agonia la rondine aveva delirato, sospirando il mare, i fiori, i palmizi, la primavera senza fine. E Nevina da quel giorno sognava le terre non viste.

Una notte decise di partire. Passò cauta sulla barba fluente di Gennaio, lasciò il ghiaccio e la neve eterna, prese la via della valle, si trovò fra gli abeti. Gli gnomi che la vedevano passare diafana, fosforescente nelle tenebre della foresta, interrompevano le danze, sostavano cavalcioni sui rami, fissandola con occhi curiosi e ridarelli.

– Nevina!

– Nevina! Dove vai?

– Nevina, danza con noi!

– Nevina, non ci lasciare!

E gli Spiritelli benigni le facevano ressa intorno, tentavano di arrestarle il passo abbracciandole con tutta forza la caviglia, cercavano di imprigionarle i piedi leggeri entro rami d'edera e di felce morta.

Nevina sorrideva, sorda ai richiami affettuosi, toglieva dalla cornucopia d'argento una falda di neve, la diffondeva intorno, liberandosi dei piccoli compagni di gioco. E proseguiva il cammino diafana, silenziosa, leggera come le dee che non sono più.

Giunse a valle, fu sulla grande strada.

L'aria si mitigava. Un senso d'affanno opprimeva il cuore di Nevina; per respirare toglieva dalla cornucopia una falda di neve, la diffondeva intorno, ritrovava le forze e il respiro nell'aria fatta gelida subitamente.

Proseguì rapida, percorse gran tratto di strada. Ad un crocevia sostò in estasi, con gli occhi abbagliati. Le si apriva dinnanzi uno spazio ignoto, una distesa azzurra e senza fine, come un altro cielo tolto alla volta celeste, disteso in terra, trattenuto, agitato ai lembi da mani invisibili. Nevina proseguì sbigottita. La terra intorno mutava. Anemoni, garofani, mimose, violette, reseda, narcisi, giacinti, giunchiglie, gelsomini, tuberose, fin dove l'occhio giungeva, dal colle al mare, mal frenati dai muri e dalle siepi dei giardini, i fiori straripavano come un fiume di petali dove emergevano le case e gli alberi.

Gli ulivi distendevano il loro velo d'argento, i palmizi svettavano diritti, eccelsi come dardi scagliati nell'azzurro.

Nevina volgeva gli occhi estasiati sulle cose mai viste, dimenticava di diffondere la neve; poi l'affanno la riprendeva, toglieva una falda, si formava intorno una zona di fiocchi candidi e d'aria gelida che le ridava il respiro. E i fiori, gli ulivi, le palme guardavano pur essi con meraviglia la giovinetta diafana che trasvolava in un turbine niveo e rabbrividivano al suo passaggio.

Un giovane bellissimo, dal giustacuore verde e violetto, apparve innanzi a Nevina, fissandola con occhi inquieti, vietandole il passo:

– Chi sei?

– Nevina sono. Figlia di Gennaio.

– Ma non sai, dunque, che questo non è il regno di tuo padre? Io sono Fiordaprile, e non t'è lecito avanzare sulle mie terre. Ritorna al tuo ghiacciaio, pel bene tuo e pel mio!

Nevina fissava il principe con occhi tanto supplici e dolci che Fiordaprile si sentì commosso.

– Fiordaprile, lasciami avanzare! Mi fermerò poco. Voglio toccare quella neve azzurra, verde, rossa, violetta che chiamate fiori, voglio immergere le mie dita in quel cielo capovolto che è il mare!

Fiordaprile la guardò sorridendo; assentì col capo:
– Andiamo, dunque. Ti farò vedere tutto il mio regno.

Proseguirono insieme, tenendosi per mano, fissandosi negli occhi, estasiati e felici. Ma via via che Nevina avanzava, una zona bigia offuscava l'azzurro del cielo, un turbine di fiocchi candidi copriva i giardini meravigliosi. Passarono in un villaggio festante; contadini e contadine danzavano sotto i mandorli in fiore. Nevina volle che Fiordaprile la facesse danzare: entrarono in ballo; ma la brigata si disperse con un brivido, i suoni cessarono, l'aria si fece di gelo; e dal cielo fatto bigio cominciarono a scendere, con la neve odorosa dei mandorli, i petali gelidi della neve, la vera neve che Nevina diffondeva al suo passaggio. I due dovettero fuggire tra le querele irose della brigata. Giunti poco lungi, volsero il capo e videro il paese di nuovo festante sotto il cielo rifatto sereno...

– Nevina, ti voglio sposare!

– I tuoi sudditi non vorranno una regina che diffonde il gelo.

– Non importa. La mia volontà sarà fatta.

Avanzarono ancora, tenendosi per mano, fissandosi negli occhi, immemori e felici... Ma ad un tratto Nevina s'arrestò coprendosi di un pallore più diafano.

– Fiordaprile! Fiordaprile!... Non ho più neve!

E tentava con le dita – invano – il fondo della cornucopia.

– Fiordaprile!... Mi sento morire!... Portami al confine... Fiordaprile!... Non reggo più!...

Nevina si piegava, veniva meno. Fiordaprile tentò di sorreggerla, la prese fra le braccia, la portò di peso, correndo verso la valle.

– Nevina! Nevina!

Nevina non rispondeva. Si faceva diafana più ancora. Il suo volto prendeva la trasparenza iridata della bolla che sta per dileguare.

– Nevina! Rispondi!

Fiordaprile la coprì col mantello di seta per difenderla dal sole ardente, proseguì correndo, arrivò nella valle, per affidarla al vento di tramontana.

Ma quando sollevò il mantello Nevina non c'era più. Fiordaprile si guardò intorno smarrito, pallido, tremante. Dov'era? L'aveva perduta per via? Alzò le mani al volto, in atto disperato; poi il suo sguardo s'illuminò. Vide Nevina dall'altra parte della valle che salutava con la mano protesa in un addio sorridente.

Un suo vecchio precettore, il vento di tramontana, la sospingeva pei sentieri nevosi, verso il ghiaccio eterno, verso il regno inaccessibile del padre Gennaio.

INDICE

La straordinaria avventura
di Wendy Darling, rapita dal ragazzo eternamente allegro,
innocente e senza cuore.

2000 lire

Bi

Carlo Collodi

Le Avventure di Pinocchio

La Biblioteca Ideale Tascabile
Junior

Il capolavoro dei nostri libri per ragazzi:
la storia del burattino anarchico dalla bugia facile
che finisce «ragazzino per bene».

Sono così tante e mirabolanti, le avventure del Barone, che si stenta a crederci. Ma, per divertire, vale più la verità o la fantasia?

BIT 3000 lire

Rudyard Kipling

IL LIBRO DELLA GIUNGLA

LA BIBLIOTECA IDEALE TASCABILE
JUNIOR

Le affascinanti storie di Mowgli e del Popolo libero degli animali selvaggi, che nella giungla si sono dati la Legge giusta che l'uomo non ha.